# Italian vocabulary by topic

Cathy Gibson

MARY GLASGOW PUBLICATIONS

We are grateful to the following for allowing us to reproduce published material:
Banca del Monte, Banca Nazionale del Lavoro, Banca Nazionale delle Comunicazioni, Banco Ambrosiano Veneto, Banco di Sicilia (P.60); Bolognafiere (cover, p.53); Bracco Spa (p.58); Cassa di Risparmio delle Provincie Lombarde, Cassa di Risparmio di Lucca, Cassa di Risparmio in Bologna (p.60); Cinema Adriano d'Essai (cover); Credito Romagnolo (p.60); Federazione italiana del campeggio e del caravanning (p.43); Gimen Spa (p.20); GMP Spa Gruppo l'Espresso (pp.16, 23, 29); Ernst Klett Verlag (p.58); Manetti-Roberts Spa (p.56); Mondadori (p.64); Monte dei Paschi di Siena (p.60); Ostelli per la gioventù (p.44); La Stampa (cover, pp.19, 30, 40, 69, 71); L'Unità (pp.42, 71).



Our thanks to Anna Mansfield and Paola Tite for their help in checking the Italian vocabulary included in this book and also to Silvia Shaw for assisting with realia.

Design: Janet McCallum


First published 1992, by Mary Glasgow Publications
An imprint of Stanley Thornes (Publishers) Ltd

02 03 04 05 06 / 15 14 13 12 11 10 9

ISBN 1 85234 452 0

Reprinted 2002 by
Nelson Thornes Ltd
Delta Place, 27 Bath Road
Cheltenham, GL53 7TH
United Kingdom

Printed and bound in Great Britain by
TJ International Ltd, Padstow, Cornwall

# Contents

# Introduction

This vocabulary book provides a topic-by-topic checklist of words and phrases in Italian. A useful reference book to supplement any Italian course, it can also be used as a revision aid because it contains vocabulary based on the examining groups' defined content syllabuses for GCSE and Standard Grade.

For most words in Italian it is easy to see whether a word is masculine or feminine from the use of *il* or *la* and whether the word ends in an *o* (masculine) or an *a* (feminine), for example:

*il gatto* (masculine)
*la penna* (feminine).

There are some exceptions such as *la radio* or *il cinema*. These are often foreign words which have been incorporated into Italian.

Some words end with an *e* which can be either masculine or feminine. To decide the gender of these words, therefore, look at the definite article *il* (masculine) or *la* (feminine), for example:

*il cane* (masculine)
*la regione* (feminine).

The definite article *lo* is used before a masculine word beginning either with *z* or with an *s* followed by a consonant, for example:

*lo zerbino, lo scherzo.*

*L'* is the definite article used in front of singular nouns (masculine or feminine) beginning with a vowel:

*l'albergo, l'isola.*

Plurals are easy to form by changing the last letter of the word and the definite article, for example:

*il gatto* - *i gatti*
*la penna* - *le penne*
*il cane* - *i cani*
*la regione* - *le regioni*
*lo zerbino* - *gli zerbini*
*lo scherzo* - *gli scherzi.*

*Gli* is also used before a masculine word in the plural which begins with a vowel, for example: *gli articoli.*

Adjectives agree with the noun, for example:

*il ragazzo piccolo - i ragazzi piccoli*
*la birra piccola - le birre piccole.*

For adjectives which end in *e*, the ending in the plural is *i*, for example:

*l'albero grande - gli alberi grandi*
*la donna intelligente - le donne intelligenti.*

The words in this vocabulary book are listed in topics so that they are easy to learn and refer to. If you can use and recognise the words in this book, you will have a good solid grounding in Italian.

The phrases at the end of each topic are phrases you are likely to hear or might need to use, whether or not you hope to take an exam. Try to remember these phrases and substitute words that are relevant to you.

Good luck!

# 1 Talking about yourself and others

## Personal details

### BASIC VOCABULARY

| | |
|---|---|
| **chiamarsi** | to be called |
| **il nome** | name |
| **il cognome** | surname |
| **essere inglese** | to be English |
| **avere ... anni** | to be ... years old |
| **l'età** | age |
| **la data** | date |
| **essere nato/a** | to be born |
| **il compleanno** | birthday |
| **abitare** | to live |
| **la casa** | house |
| **l'appartamento** | flat |
| **l'indirizzo** | address |
| **il numero** | number |
| **la via** | street |
| **il corso** | avenue |
| **la piazza** | square |
| **il paese** | country, village |
| **la città** | town |
| **la regione** | area, region |
| **scrivere** | to write |
| **firmare** | to sign |
| **la firma** | signature |
| **signora** | Mrs |
| **signore** | Mr |
| **signorina** | Miss |

### HIGHER VOCABULARY

| | |
|---|---|
| **vicino/a** | near |
| **un ascensore** | lift |
| **il piano** | floor, storey |
| **ripetere** | to repeat |
| **la nascita** | birth |
| **maggiore** | eldest |
| **minore** | youngest |
| **l'identità** | identity |

### BASIC PHRASES

| | |
|---|---|
| **Mi chiamo Giorgio e ho 16 anni** | My name is George and I'm 16 years old |
| **Sono nato/a a Bristol nel 1976** | I was born in Bristol in 1976 |
| **Abito a Londra in Inghilterra** | I live in London in England |
| **Carla è mia sorella e Fabio è mio fratello** | Carla is my sister and Fabio is my brother |
| **Il mio compleanno è il 29 settembre** | My birthday is on September 29th |

## HIGHER PHRASES

| | |
|---|---|
| **Il mio cognome è Belloni** | My surname is Belloni |
| **Come si scrive ...?** | How do you spell ...? |
| **Abito in città/in un piccolo paese vicino a Bath** | I live in a town/in a little village near Bath |
| **Mio fratello ha tre anni più di me** | My brother is three years older than me |

*Cognome* TURCHINI
*Nome* PAOLA
*nato il* 9/7/1963
*(atto n.* 576 *P.* I *S.* A *)*
*a* AREZZO *(* *)*
*Cittadinanza* ITALIANA
*Residenza*
*Via* VIA GALLETA, 9
*Stato civile* NUBILE
*Professione* CAMERIERA

CONNOTATI E CONTRASSEGNI SALIENTI

Statura 1.62
Capelli castani
Occhi verdi
Segni particolari CITTADINA ITALIANA RESIDENTE ALL ESTER A.I.R.E.

DEMOGRAFICI

Firma del titolare

AREZZO 3/09/1992

Impronta del dito indice sinistro

IL SINDACO

S. DEMOGRAFICI - COMUNE DI AREZZO

IL DELEGATO
Loretta Bianchi

REPVBBLICA ITALIANA
COMVNE DI
AREZZO
CARTA D'IDENTITA'
N° 25269456

# Nationality

## BASIC VOCABULARY

| | |
|---|---|
| **l'Inghilterra** | England |
| **inglese** | English |
| **la Scozia** | Scotland |
| **scozzese** | Scottish |
| **l'Irlanda** | Ireland |
| **irlandese** | Irish |
| **il Galles** | Wales |
| **gallese** | Welsh |
| **Londra** | London |
| **londinese** | Londoner |
| **la Gran Bretagna** | British |
| **britannico/a** | British |
| **l'Europa** | Europe |
| **europeo/a** | European |
| **l'Italia** | Italy |
| **italiano/a** | Italian |
| **la Francia** | France |
| **francese** | French |
| **la Germania** | Germany |
| **tedesco/a** | German |
| **la Spagna** | Spain |
| **spagnolo/a** | Spanish |
| **Milano** | Milan |
| **milanese** | inhabitant of Milan |
| **l'America** | America |
| **gli Stati Uniti** | United States |
| **americano/a** | American |
| **il passaporto** | passport |

## HIGHER VOCABULARY

| | |
|---|---|
| **l'Austria** | Austria |
| **il Giappone** | Japan |
| **la Russia** | Russia |
| **all'estero** | abroad |
| **lo straniero/ la straniera** | foreigner |
| **una bandiera** | flag |

## BASIC PHRASES

| | |
|---|---|
| **Sono scozzese** | I am Scottish |
| **Parlo inglese** | I speak English |
| **Mio padre lavora in Italia a Genova** | My father works in Italy in Genoa |

## HIGHER PHRASES

| | |
|---|---|
| **Da dove viene?** | Where do you come from? |
| **Mi può favorire un documento?** | Can you give me some identification? |
| **Da che parte d'Inghilterra viene?** | What part of England do you come from? |

# Appearance

## BASIC VOCABULARY

| | |
|---|---|
| **bianco/a** | white |
| **nero/a** | black |
| **marrone** | brown |
| **grigio/a** | grey |
| **giallo/a** | yellow |
| **rosa** | pink |
| **azzurro/a, blu** | blue |
| **verde** | green |
| **scuro/a** | dark |
| **chiaro/a** | light |
| **il colore** | colour |
| **giovane** | young |
| **vecchio/a** | old |
| **magro/a** | thin |
| **grasso/a** | fat |
| **snello/a** | slim |
| **robusto/a** | sturdy |
| **alto/a** | tall |
| **basso/a** | short |
| **bello/a** | beautiful |
| **brutto/a** | ugly |
| **carino/a** | pretty |
| **capelli biondi/bruni** | fair/dark hair |
| **capelli corti/lunghi** | short/long hair |
| **gli occhi** | eyes |
| **gli occhiali** | glasses |
| **una barba** | beard |
| **ben vestito/a** | well-dressed |
| **elegante** | elegant |
| **l'orecchino** | earring |
| **l'orecchio** | ear |
| **il naso** | nose |
| **i denti** | teeth |
| **un sorriso** | smile |

## HIGHER VOCABULARY

| | |
|---|---|
| **la somiglianza** | resemblance |
| **grosso/a** | big |
| **la carnagione** | complexion |
| **capelli castani** | brown hair |
| **grazioso/a** | charming |

## BASIC PHRASES

| | |
|---|---|
| **Ho i capelli biondi e gli occhi azzurri** | I have fair hair and blue eyes |
| **Sono abbastanza alto/a, ma un po' grasso/a** | I'm quite tall, but a little overweight |
| **Non porto occhiali** | I don't wear glasses |
| **Mia madre è bella e ha i capelli corti e bruni** | My mother is beautiful and has short, dark hair |

Ciao a tutti. Mi chiamo Roberto, ho 16 anni e vorrei corrispondere con ragazzi/e tra i 14-17 anni. Ho i capelli castani, sono alto e mi piacciono gli animali. Il mio indirizzo è: **Roberto Alessi**, Via Ottaviano Ubaldini n. 14 – 00125 Roma.

Attenzione! Siamo Carmelina e Laura, due ragazze di 15 anni. Cerchiamo ragazzi/e di ogni età per fare amicizia. Ci piacciono i film dell' orrore e andare in discoteca. Scrivere a: **Carmelina e Laura Mura**, Via Trieste n. 74 – 22021 Bellagio (CO).

### HIGHER PHRASES

| | |
|---|---|
| **È alto due metri** | He is two metres tall |
| **Secondo me somiglia a suo padre** | In my opinion he/she looks like his/her father |
| **Ha una carnagione chiara/scura** | He/she has a light/dark complexion |
| **Ha un sorriso grazioso** | He/she has a charming smile |
| **Vedo la somiglianza tra lei e sua sorella** | I can see the resemblance between her/you and her/your sister |

# Character and feelings

### BASIC VOCABULARY

| | |
|---|---|
| **bravo/a** | good |
| **allegro/a** | high-spirited |
| **divertente** | funny |
| **contento/a, felice** | happy |
| **gentile** | kind |
| **meraviglioso/a** | wonderful |
| **vivace** | lively |
| **calmo/a** | calm |
| **intelligente** | intelligent |
| **serio/a** | serious |
| **studioso/a** | studious |
| **triste** | sad |
| **nervoso/a** | nervous |
| **pigro/a** | lazy |
| **timido/a** | shy |
| **stupido/a** | stupid |
| **severo/a** | strict, stern |
| **abbastanza** | quite |
| **molto** | very |

### HIGHER VOCABULARY

| | |
|---|---|
| **simpatico/a** | kind |
| **beneducato/a, cortese** | polite |
| **buffo/a** | funny |
| **comprensivo/a** | understanding |
| **antipatico/a** | unpleasant, disagreeable |
| **maleducato/a** | impolite |
| **geloso/a** | jealous |
| **pazzo/a** | mad |
| **noioso/a** | boring |
| **orgolioso/a** | proud |
| **assai** | quite |
| **piuttosto** | rather |

### BASIC PHRASES

| | |
|---|---|
| **Che tipo è?** | What's he/she like? |
| **Sono abbastanza pigro/a** | I'm quite lazy |
| **Mio fratello è molto timido ma mia sorella è molto allegra** | My brother is very shy but my sister is very lively |

### HIGHER PHRASES

| | |
|---|---|
| **Vado d'accordo con i miei genitori** | I get on with my parents |
| **Questo ragazzo mi è antipatico** | I don't like that boy |
| **È matto da legare** | He is absolutely crazy |

# Daily routine

### BASIC VOCABULARY

| | |
|---|---|
| **alzarsi** | to get up |
| **fare colazione** | to have breakfast |
| **lavarsi** | to have a wash |
| **l'ora** | time |
| **di mattina** | in the morning |
| **il pranzo** | lunch |
| **mangiare** | to eat |
| **cucinare** | to cook |
| **la cena** | dinner |
| **fare la spesa** | to do the shopping |
| **comprare** | to buy |
| **il supermercato** | supermarket |
| **il mercato** | market |
| **fare i compiti** | to do homework |
| **aiutare** | to help |
| **lavorare** | to work |
| **pulire** | to clean |
| **ascoltare** | to listen |
| **cucire** | to sew |
| **leggere** | to read |
| **il libro** | book |
| **giocare** | to play |
| **il passatempo** | hobby |
| **il disco** | record |
| **la radio** | radio |
| **dormire** | to sleep |
| **un'abitudine** | habit, custom |
| **prima** | (at) first |
| **di solito** | usually |
| **finalmente** | finally |
| **spesso** | often |
| **volentieri** | willingly |

### HIGHER VOCABULARY

| | |
|---|---|
| **svegliarsi** | to wake up |
| **pettinarsi** | to comb one's hair |
| **preparare da mangiare** | to prepare a meal |
| **spolverare** | to dust |
| **passare l'aspirapolvere (m)** | to vacuum |
| **stirare** | to iron |
| **badare al bambino** | to babysit |
| **mettere via** | to put away |
| **le faccende** | housework |
| **la noia** | boredom |
| **ciascuno/a** | everyone |

### BASIC PHRASES

| | |
|---|---|
| **Di solito mi alzo alle sette e mezzo** | I usually get up at seven thirty |
| **Faccio colazione e mi lavo** | I have breakfast and get washed |
| **La domenica gioco a tennis e mi corico alle dieci** | On Sundays I play tennis and go to bed at ten o'clock |

### HIGHER PHRASES

| | |
|---|---|
| **Devo fare le faccende tutti i giorni** | I have to do the housework every day |
| **Prima di preparare la cena,** | Before preparing dinner, |
| **metto sempre via i dischi** | I always put away the records |
| **Che noia stirare i vestiti!** | How boring it is ironing clothes! |

# Family

### BASIC VOCABULARY

| | |
|---|---|
| **la famiglia** | family |
| **i genitori** | parents |
| **il padre** | father |
| **la madre** | mother |
| **il fratello** | brother |
| **la sorella** | sister |
| **il figlio** | son |
| **la figlia** | daughter |
| **lo zio** | uncle |
| **la zia** | aunt |
| **il cugino** | cousin (m) |
| **la cugina** | cousin (f) |
| **il marito** | husband |
| **la moglie** | wife |
| **il bambino/ la bambina** | child |
| **il ragazzo** | boy |
| **la ragazza** | girl |
| **un amico/un'amica** | friend |
| **minore** | younger |
| **maggiore** | older |
| **piccolo/a** | small, little |
| **giovane** | young |
| **grande** | big |
| **avere** | to have |
| **conoscere** | to know (a person) |
| **presentare** | to introduce |
| **unire** | to unite, to join |
| **baciare** | to kiss |
| **un bacio** | kiss |

### HIGHER VOCABULARY

| | |
|---|---|
| **la mamma** | mum |
| **il babbo, il papà** | dad |
| **il nonno** | grandfather |
| **la nonna** | grandmother |
| **il nipote** | grandson, nephew |
| **la nipote** | granddaughter, niece |
| **il cognato** | brother-in-law |
| **la cognata** | sister-in-law |
| **il suocero** | father-in-law |
| **la suocera** | mother-in-law |
| **il/la parente** | relation |
| **il figlio unico** | only son |
| **la figlia unica** | only daughter |
| **i gemelli/ le gemelle** | twins |
| **un matrimonio, le nozze** | wedding |
| **insieme** | together |
| **numeroso/a** | numerous |
| **andare a trovare** | to visit |

## BASIC PHRASES

| | |
|---|---|
| **Non conosco i tuoi genitori** | I don't know your parents |
| **Le presento mia madre** | This is my mother |
| **Molto lieto/a, piacere** | Pleased to meet you |

## HIGHER PHRASES

| | |
|---|---|
| **Andiamo a trovare i miei nonni tutti i weekend** | We visit my grandparents every weekend |
| **Sono figlio/a unico/a** | I'm an only child |
| **Mia cugina si sposa** | My cousin is getting married |
| **Io e la mamma andiamo al matrimonio insieme** | My mother and I are going to the wedding together |
| **Siamo una famiglia numerosa** | We are a large family |

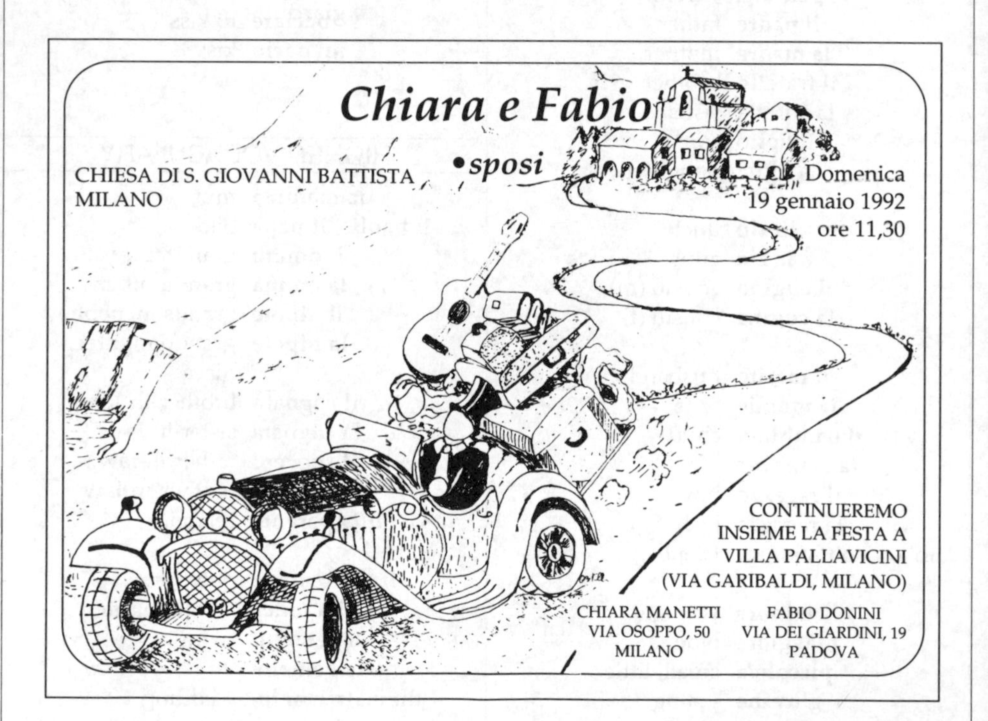

# 2 House and home
## General description

### BASIC VOCABULARY

| | |
|---|---|
| **abitare** | to live |
| **comprare** | to buy |
| **vendere** | to sell |
| **piacere** | to like |
| **comodo/a** | comfortable |
| **spazioso/a** | spacious |
| **caro/a** | dear |
| **calmo/a** | calm |
| **rumoroso/a** | noisy |
| **sporco/a** | dirty |
| **pulito/a** | clean |
| **carino/a** | sweet |
| **brutto/a** | ugly |
| **bello/a** | beautiful |
| **antico/a** | old |
| **nuovo/a** | new |
| **moderno/a** | modern |
| **stretto/a** | narrow |
| **largo/a** | wide |
| **perfetto/a** | perfect |
| **facile** | easy |
| **difficile** | difficult |
| **grande** | big |
| **piccolo/a** | small |
| **isolato/a** | isolated |
| **la casa** | house |
| **l'appartamento** | flat |
| **il balcone** | balcony |
| **il garage** | garage |
| **la stanza** | room |
| **il muro** | wall |
| **il legno** | wood |
| **il giardino** | garden |
| **il fiore** | flower |
| **l'erba** | grass |
| **l'albero** | tree |
| **il piano** | floor, storey |
| **il portachiavi** | keyring |
| **lo specchio** | mirror |
| **l'entrata** | entrance |
| **entrare** | to enter, go in |
| **il campanello** | bell |
| **suonare** | to ring |
| **davanti a** | in front of |
| **dietro a** | behind |
| **in fondo a** | at the bottom of |
| **lontano/a da** | far from |
| **vicino/a a** | near |
| **la località** | area |

### HIGHER VOCABULARY

| | |
|---|---|
| **l'edificio, il palazzo** | building |
| **l'ingresso** | entrance hall |
| **il tetto** | roof |
| **il cortile** | courtyard |
| **il camino** | fireplace, chimney |
| **il caminetto** | small fireplace |
| **un ascensore** | lift |
| **il cancello** | gate |
| **il prato** | meadow |
| **la vista** | view |
| **il bosco** | wood, small forest |

## (HIGHER VOCABULARY)

| | |
|---|---|
| **affittare** | to rent |
| **l'affitto** | rent |
| **pagare l'affitto** | to pay the rent |
| **l'inquilino/ l'inquilina** | tenant |
| **il padrone di casa** | landlord |
| **la padrona di casa** | landlady |
| **traslocare** | to move house |
| **decorare** | to decorate |
| **pitturare** | to paint |
| **soleggiato/a** | sunny |
| **ampio/a** | spacious |
| **bentenuto/a** | well-kept |
| **trascurato/a** | neglected |

## BASIC PHRASES

| | |
|---|---|
| **Abito in un appartamento grande con un giardino** | I live in a large flat with a garden |
| **Da noi ci sono due stanze da letto spaziose e comode** | In our house there are two big and comfortable bedrooms |
| **Vicino alla casa c'è un supermercato** | Near the house there's a supermarket |
| **Mi piace la casa** | I like the house |

## HIGHER PHRASES

| | |
|---|---|
| **Paghiamo l'affitto al padrone di casa ogni mese** | We pay rent to the landlord every month |
| **L'ascensore e l'ingresso sono sempre bentenuti** | The lift and the hall are always well-maintained |
| **Dobbiamo decorare la cucina questo finesettimana** | We have to decorate the kitchen this weekend |

# Rooms and services

## BASIC VOCABULARY

| | |
|---|---|
| **la stanza** | room |
| **la sala da pranzo** | dining room |
| **il salotto** | living room |
| **la stanza da bagno** | bathroom |
| **la camera da letto** | bedroom |
| **lo studio** | study |
| **la cucina** | kitchen |
| **il gabinetto** | toilet |
| **il garage** | garage |
| **la macchina** | car |
| **il balcone** | balcony |
| **l'acqua** | water |
| **caldo/a** | hot |
| **freddo/a** | cold |
| **l'elettricità** | electricity |
| **elettrico/a** | electric |
| **funzionare** | to work |
| **la porta** | door |
| **la finestra** | window |
| **aprire** | to open |
| **chiudere** | to close |
| **il piano** | floor, storey |
| **al primo piano** | on the first floor |
| **al piano superiore** | on the top floor |
| **le scale** | stairs |

## HIGHER VOCABULARY

| | |
|---|---|
| **il riscaldamento centrale** | central heating |
| **accendere la luce** | to turn on the light |
| **spegnere la luce** | to turn off the light |
| **il forno** | oven |
| **il fiammifero** | match |
| **premere** | to push |
| **il bottone** | button |
| **il lavandino** | washbasin |
| **il rubinetto** | tap |
| **la cantina** | cellar |

## BASIC PHRASES

| | |
|---|---|
| **Al primo piano ci sono tre camere da letto** | On the first floor there are three bedrooms |
| **Nella stanza da bagno c'è l'acqua calda** | There is hot water in the bathroom |
| **La mia automobile è bianca** | My car is white |
| **Non funziona bene la macchina** | The car isn't going very well |

## HIGHER PHRASES

| | |
|---|---|
| **Il nostro forno si accende con i fiammiferi** | You need matches to turn on our oven |
| **Prema il bottone per aprire la porta della cantina** | Press the button to open the cellar door |
| **Prima di uscire chiudiamo sempre le finestre** | Before going out we always close the windows |

# Furniture and equipment

## BASIC VOCABULARY

**l'armadio** wardrobe
**la sedia** chair
**il letto** bed
**la lampada** lamp
**la lampadina** little lamp, light bulb
**il tappeto** rug
**il quadro** picture

**il frigo** fridge
**l'orologio** clock
**la forchetta** fork
**il coltello** knife
**il cucchiaio** spoon
**il cucchiaino** teaspoon
**il piatto** plate
**il piattino** little plate
**il bicchiere** glass
**la bottiglia** bottle
**la tazza** cup

**il bagno** bath
**la doccia** shower
**il sapone** soap
**lo spazzolino da denti** toothbrush
**il dentifricio** toothpaste
**l'asciugamano** towel

**il pianoforte** piano
**il televisore** television set
**la poltrona** armchair
**il divano** sofa
**la fotografia** photograph
**la radio** radio
**il video registratore** video recorder
**i mobili** furniture
**le tende** curtains
**rotto/a** broken

## HIGHER VOCABULARY

**arredare** to furnish
**un aspirapolvere** vacuum cleaner
**il congelatore** freezer
**la lucidatrice** floor polisher
**la lavatrice** washing machine
**la lavastoviglie** dishwasher
**gli elettrodomestici** electrical appliances

**apparecchiare** to lay the table
**sparecchiare** to clear the table
**il forno** oven
**il rubinetto** tap
**la teiera** teapot
**la caffettiera** coffee-pot
**la casseruola** saucepan
**la padella** frying pan
**la tovaglia** tablecloth
**la pattumiera** wastepaper bin
**il soprammobile** knick-knack

**la coperta** blanket
**il piumino** eiderdown
**il piumone** duvet
**il lenzuolo** sheet
**le lenzuola** sheets
**la federa** pillowcase
**la sveglia** alarm clock
**il cassetto** drawer

**il cuscino** cushion, pillow
**il giradischi** record player
**il registratore** tape recorder
**il lettore di compact disc** CD player
**il computer** computer
**lo scaffale** shelf
**il legno** wood

## BASIC PHRASES

| | |
|---|---|
| **Come si chiama questo?** | What is this called? |
| **Potrei avere un asciugamano, per favore? / Può darmi un asciugamano, per favore?** | Could I have a towel, please? |
| **Nella sala da bagno c'è sapone e dentifricio** | There is soap and toothpaste in the bathroom |

## HIGHER PHRASES

| | |
|---|---|
| **La casa è arredata** | The house is furnished |
| **Apparecchiata la tavola, ci mettiamo tutti a tavola** | Once the table is laid, we all sit down at the table |
| **Purtroppo il video registratore è rotto** | Unfortunately the video recorder is broken |

# Animals

## BASIC VOCABULARY

| | |
|---|---|
| **un animale** | animal |
| **un animale domestico** | pet |
| **il gatto** | cat |
| **il gattino** | kitten |
| **il cane** | dog |
| **il cavallo** | horse |
| **l'uccellino** | little bird |
| **il canarino** | canary |
| **cantare** | to sing |
| **dare da mangiare a** | to feed |
| **avere paura di** | to be afraid of |
| **ammirare** | to admire |
| **preferire** | to prefer |

## HIGHER VOCABULARY

| | |
|---|---|
| **carezzare** | to caress |
| **affezionarsi** | to become fond of |
| **graffiare** | to scratch |
| **abbaiare** | to bark |
| **mordere** | to bite |
| **temere** | to fear |
| **la gabbia** | cage |
| **docile** | docile |
| **feroce** | fierce |

## BASIC PHRASES

| | |
|---|---|
| **Ho paura dei cavalli** | I'm frightened of horses |
| **Il mio uccellino canta bene** | My bird sings well |
| **Preferisco i cani ai gatti** | I prefer dogs to cats |
| **Non teniamo animali domestici in casa** | We don't have any pets at home |

## HIGHER PHRASES

| | |
|---|---|
| **Il cane abbaia sempre. È molto feroce e morde** | The dog is always barking. He's very fierce and he bites |
| **L'uccello nella gabbia è molto buono** | The bird in the cage is very good-natured |
| **Devo dare da mangiare ai cavalli ogni sera** | I have to feed the horses every evening |
| **Mi affeziono al gatto** | I'm fond of the cat |

# 3 School

## School and the school day

### BASIC VOCABULARY

| | |
|---|---|
| **la scuola** | school |
| **la scuola elementare** | primary school |
| **la scuola media inferiore** | lower secondary school |
| **la scuole media superiore** | upper secondary school |
| **il collegio** | college |
| **l'università** | university |
| **il laboratorio** | laboratory |
| **l'aula** | hall |
| **il refettorio, la mensa** | canteen |
| **la biblioteca** | library |
| **scrivere** | to write |
| **leggere** | to read |
| **studiare** | to study |
| **la matita** | pencil |
| **la lavagna** | blackboard |
| **il quaderno** | exercise book |
| **l'inchiostro** | ink |
| **il preside** | headteacher |
| **il professore/ la professoressa** | teacher |
| **il maestro/la maestra** | primary school teacher |
| **l'alunno/l'alunna** | pupil |
| **il compito** | homework |
| **il lavoro** | work |
| **spiegare** | to explain |
| **un esame** | exam |
| **dare l'esame** | to sit an exam |
| **il risultato** | result |
| **il voto** | mark |
| **imparare** | to learn |
| **insegnare** | to teach |
| **sapere** | to know |
| **sperare** | to hope |
| **il progresso** | progress |
| **lo sbaglio** | mistake |
| **punire** | to punish |
| **la punizione** | punishment |
| **la classe** | class |
| **la lezione** | lesson |
| **l'orario** | timetable |
| **durare** | to last |
| **cominciare** | to start |
| **finire** | to finish |
| **l'intervallo, la ricreazione** | break |
| **accompagnare** | to go with someone |
| **assente** | absent |
| **presente** | present |
| **la vacanza** | holiday |
| **lo scambio** | exchange |
| **restare** | to stay |
| **lasciare** | to leave |
| **uscire** | to go out |
| **il ritorno** | return |

### HIGHER VOCABULARY

| | |
|---|---|
| **intendere** | to intend |
| **avere l'intenzione di** | to intend to (do something) |
| **avere voglia di** | to want to (do something) |
| **la borsa di studio** | grant |
| **necessario/a** | necessary |
| **lo scopo** | aim |
| **il certificato** | certificate |
| **il diploma** | diploma |
| **laurearsi** | to get a degree |

### BASIC PHRASES

| | |
|---|---|
| **La scuola comincia alle otto e mezzo** | School starts at eight thirty |
| **L'ora di pranzo dura un'ora e mezza** | Lunch break lasts one and a half hours |

### HIGHER PHRASES

| | |
|---|---|
| **Un mio amico mi accompagna in vacanza quest'anno** | One of my friends is coming on holiday with me this year |
| **Ho l'intenzione di andare all'università** | I intend to go to university |
| **Sono molto fortunato/a ad aver una borsa di studio** | I'm very lucky to have a grant |

# School subjects

### BASIC VOCABULARY

| | |
|---|---|
| **la lingua** | language |
| **inglese** | English |
| **italiano** | Italian |
| **francese** | French |
| **tedesco** | German |
| **spagnolo** | Spanish |
| **le scienze** | science |
| **la biologia** | biology |
| **la chimica** | chemistry |
| **la fisica** | physics |
| **la matematica** | maths |
| **la storia** | history |
| **la geografia** | geography |
| **la musica** | music |
| **il lavoro manuale** | handicraft |
| **il dramma** | drama |
| **lo sport** | sport |
| **la ginnastica** | gymnastics |
| **difficile** | difficult |
| **facile** | easy |
| **noioso/a** | boring |
| **annoiarsi** | to get bored |
| **interessante** | interesting |
| **essere bravo/a in** | to be good at |
| **andare male in** | to be bad at |
| **debole in** | to be weak at |
| **la materia** | (school) subject |
| **scegliere** | to choose |
| **la traduzione** | translation |
| **detestare** | to hate |

### BASIC PHRASES

| | |
|---|---|
| **Vado molto male in matematica** | I'm very bad at maths |
| **Sono molto bravo/a in lingue** | I'm very good at languages |
| **La mia materia preferita è la storia** | My favourite subject is history |

# Plans for the future

## BASIC VOCABULARY

| | |
|---|---|
| **diventare** | to become |
| **il commercio** | business |
| **l'impiegato/ l'impiegata** | employee |
| **la società** | company |
| **poi** | then |
| **ora** | now |
| **forse** | perhaps |
| **un corso** | course |

## HIGHER VOCABULARY

| | |
|---|---|
| **il futuro** | future |
| **riuscire a** | to succeed in |
| **il salario, lo stipendio** | salary |
| **l'impiego** | job |
| **stentare a** | to find it hard to |
| **il sindacato** | trade union |
| **il sindacalista** | trade unionist |
| **la professione** | profession |
| **la scelta** | choice |
| **provare a** | to try to |
| **disoccupato/a** | unemployed |
| **la disoccupazione** | unemployment |
| **il guaio** | problem |
| **lavorare sodo** | to work hard |
| **all'estero** | abroad |

## BASIC PHRASES

| | |
|---|---|
| **Mi piacerebbe lavorare in una grande società** | I would like to work in a big company |
| **Cerco un buon lavoro all'estero** | I'm looking for a good job abroad |
| **Dopo i miei studi ho l'intenzione di andare in Italia** | When I leave school, I intend to go to Italy |

## HIGHER PHRASES

| | |
|---|---|
| **Stento a crederlo** | I find it hard to believe |
| **Si deve lavorare sodo per diventare medico** | You have to work hard to become a doctor |
| **Mi hanno consigliato di studiare le scienze** | They advised me to study science |

# 4 Free time and entertainment

## Leisure time and hobbies

### BASIC VOCABULARY

| | |
|---|---|
| **lo svago** | free time activity |
| **il passatempo** | hobby |
| **divertirsi** | to enjoy oneself |
| **annoiarsi** | to get bored |
| **qualche volta** | sometimes |
| **spesso** | often |
| **sempre** | always |
| **il ballo** | dance |
| **ballare** | to dance |
| **la festa** | party |
| **la discoteca** | disco |
| **il disco** | record |
| **la musica pop** | pop music |
| **il nastro** | tape |
| **il gruppo** | group |
| **suonare la chitarra** | to play the guitar |
| **cantare** | to sing |
| **la canzone** | song |
| **lo strumento musicale** | musical instrument |
| **la televisione** | television |
| **il programma** | programme |
| **i cartoni animati** | cartoons |
| **il registratore** | tape recorder |
| **il video** | video |
| **la radio** | radio |
| **il giradischi** | record player |
| **ascoltare** | to listen to |
| **guardare** | to watch |
| **fare una passeggiata** | to go for a walk |
| **camminare** | to walk |
| **ridere** | to laugh |
| **andare in bicicletta** | to go cycling |
| **andare a cavallo** | to go horseriding |
| **la gita** | outing |
| **fare una gita** | to go on a trip |
| **fare un giro** | to go for a walk/bike ride |
| **uscire** | to go out |
| **il museo** | museum |
| **leggere** | to read |
| **il giornale** | newspaper |
| **la rivista** | magazine |
| **la raccolta** | collection |
| **il quadro** | picture |
| **giocare a dama** | to play draughts |
| **giocare a scacchi** | to play chess |

### HIGHER VOCABULARY

| | |
|---|---|
| **la letteratura** | literature |
| **la poesia** | poetry |
| **il romanzo** | novel |
| **riposarsi** | to rest |
| **quotidiano/a** | daily |
| **la biblioteca** | library |
| **il centro giovanile** | youth centre |
| **lo zoo** | zoo |
| **il circo** | circus |
| **la scimmia** | monkey |
| **la tigre** | tiger |
| **il leone** | lion |
| **un elefante** | elephant |

## BASIC PHRASES

| | |
|---|---|
| **Il finesettimana mi riposo** | I relax at the weekend |
| **Suono il flauto e il pianoforte** | I play the flute and the piano |
| **Leggo riviste e giornali ogni giorno** | I read magazines and newspapers every day |
| **Ho una raccolta di quadri** | I have a collection of pictures |

## HIGHER PHRASES

| | |
|---|---|
| **Mi piace fare un giro in bicicletta la domenica** | I like going for a cycle ride on Sundays |
| **Gioco a pallacanestro da tre anni** | I've been playing basketball for three years |
| **Senza dubbio divento pigro/a durante le vacanze** | I definitely get lazy during the holidays |

# Sports

## BASIC VOCABULARY

| | |
|---|---|
| **lo sport** | sport |
| **lo stadio** | stadium |
| **il circolo** | club |
| **la squadra** | team |
| **la partita** | match |
| **vincere** | to win |
| **perdere** | to lose |
| **il risultato** | result |
| **il calcio** | football |
| **il rugby** | rugby |
| **la palla, il pallone** | ball |
| **fare un gol** | to score a goal |
| **il tennis** | tennis |
| **il nuoto** | swimming |
| **nuotare** | to swim |
| **la piscina** | swimming pool |
| **lo sci** | skiing |
| **sciare** | to ski |
| **la pista** | ski slope |
| **correre** | to run |
| **la ginnastica** | gymnastics |
| **la palestra** | gymnasium |
| **il campionato** | championship |
| **il campione** | champion |

## HIGHER VOCABULARY

| | |
|---|---|
| **la pallacanestro** | basketball |
| **battere** | to beat |
| **segnare punti** | to score |
| **pattinare su ghiaccio** | ice-skating |
| **pattinare a rotelle** | roller-skating |
| **criticare** | to criticise |
| **protestare** | to protest |
| **la porta** | goal |
| **fare una partita (di)** | to play a game (of) |
| **gli sport acquatici** | water sports |
| **il nuoto** | swimming |
| **il tuffo** | dive |
| **la palla a nuoto** | water-polo |
| **pescare** | to fish |
| **andare a pesca** | to go fishing |
| **la canna da pesca** | fishing rod |

## BASIC PHRASES

| | |
|---|---|
| **Sono abbastanza sportivo/a** | I'm fairly sporty |
| **Guardo il campionato di calcio alla televisione** | I watch the football championship on television |
| **Faccio nuoto in piscina una volta alla settimana** | I swim in the pool once a week |

## HIGHER PHRASES

| | |
|---|---|
| **D'inverno mi piace pattinare su ghiaccio** | In the winter I like ice-skating |
| **Il calcio è uno sport molto seguito in Italia** | Football is very popular in Italy |
| **La mia squadra preferita ha vinto la partita** | My favourite team won the match |
| **Spesso faccio una partita di tennis** | I often play (a game of) tennis |

# Entertainment

## BASIC VOCABULARY

| | |
|---|---|
| **il teatro** | theatre |
| **lo spettacolo** | show |
| **il biglietto** | ticket |
| **il posto** | seat |
| **prenotare** | to reserve, to book |
| **pagare** | to pay |
| | |
| **l'opera** | opera |
| **un artista** | singer, actor, performer |
| **l'orchestra** | orchestra |
| **il concerto** | concert |
| **il pianoforte** | piano |
| **la musica classica** | classical music |
| **la sala** | hall |
| **il programma** | programme |
| **essere di moda** | to be fashionable |
| **fare la coda, fare la fila** | to queue |
| | |
| **il cinema** | cinema |
| **il film** | film |
| **un giallo** | thriller |
| **un film rosa** | romantic film |
| **un film di fantascienza** | science fiction film |
| **i cartoni animati** | cartoons |
| | |
| **l'entrata** | entrance |
| **vietato/a** | forbidden |
| **il pomeriggio** | afternoon |
| **la sera** | evening |
| **aprire** | to open |
| **chiudere** | to close |

## HIGHER VOCABULARY

| | |
|---|---|
| **il canale** | (TV) channel |
| **la trasmissione** | programme |
| **il telegiornale** | TV news |
| **registrare** | to record |
| **approvare** | to approve |
| **raccontare** | to tell (a story) |
| **un'atmosfera, un ambiente** | atmosphere |
| **l'intervallo** | interval |

## BASIC PHRASES

| | |
|---|---|
| **Vorrei prenotare due posti per stasera, per favore** | I'd like to book two seats for this evening, please |
| **A che ora comincia lo spettacolo teatrale?** | What time does the play start? |
| **Vado spesso a vedere i film gialli al cinema** | I often go to see detective films at the cinema |

## HIGHER PHRASES

| | |
|---|---|
| **È importante guardare il telegiornale** | It's important to watch the news |
| **Mi ha raccontato la storia del film** | He/she told me the story of the film |
| **L'ambiente in sala era molto amichevole** | The atmosphere in the room was very friendly |

# Describing leisure activities

## BASIC VOCABULARY

| | |
|---|---|
| **piacevole** | pleasant |
| **buono/a** | good |
| **fantastico/a** | fantastic |
| **meraviglioso/a** | marvellous |
| **interessante** | interesting |
| **noioso/a** | boring |
| **divertente** | amusing |
| **preferito/a** | favourite |
| **un'opinione** | opinion |
| **pensare** | to think |
| **trovare** | to find |
| **molto** | very |
| **abbastanza** | quite |

## HIGHER VOCABULARY

| | |
|---|---|
| **buffo/a** | funny |
| **avere ragione** | to be right |
| **avere torto** | to be wrong |
| **essere d'accordo** | to agree |
| **migliore** | better |
| **peggiore** | worse |
| **il migliore** | the best |
| **il peggiore** | the worst |
| **protestare** | to protest |
| **criticare** | to criticise |
| **stupido/a** | stupid |
| **raro/a** | rare, unusual |
| **meno male!** | good! |
| **non importa!** | it doesn't matter! |

## BASIC PHRASES

| | |
|---|---|
| **È molto interessante questo spettacolo** | This show is very interesting |
| **Hai ragione. Il film non è molto bello** | You're right. The film isn't very good |
| **Trovo questo sport molto noioso** | I find this sport very boring |

## HIGHER PHRASES

| | |
|---|---|
| **Non sono d'accordo con il critico** | I don't agree with the critic |
| **C'è un'atmosfera molto piacevole** | There's a very pleasant atmosphere |
| **Il Canale due è migliore del Canale tre** | Channel 2 is better than Channel 3 |

# 5 Work

## Jobs

### BASIC VOCABULARY

|  |  |
|---|---|
| **il macellaio** | butcher |
| **il commesso/ la commessa** | shop assistant |
| **il cameriere** | waiter |
| **la cameriera** | waitress |
| **il poliziotto** | policeman |
| **la donna poliziotto** | policewoman |
| **un agricoltore** | farmer |
| **il medico, il dottore** | doctor (m) |
| **la dottoressa (in medicina)** | doctor (f) |
| **l'infermiere/ l'infermiera** | nurse |
| **il/la dentista** | dentist |
| **il/la farmacista** | chemist |
| **l'impiegato/ l'impiegata** | employee |
| **il segretario/ la segretaria** | secretary |
| **il direttore/ la direttrice** | director |
| **l'insegnante, il professore/ la professoressa** | teacher |
| **un autista** | driver |
| **la casalinga** | housewife |
| **il salario** | salary |
| **essere ambizioso/a** | to be ambitious |
| **disoccupato/a** | unemployed |

### HIGHER VOCABULARY

|  |  |
|---|---|
| **l'avvocato** | lawyer |
| **il ragioniere/ la ragioniera** | accountant |
| **l'operaio/l'operaia** | worker |
| **l'ingegnere** | engineer |
| **il parrucchiere/ la parruchiera** | hairdresser |
| **il stenodattilografo/ la stenodattilografa** | shorthand typist |
| **l'arredatore/ l'arredatrice** | interior decorator |
| **il decoratore/ la decoratrice** | decorator |
| **il proprietario** | landlord, owner |
| **la proprietaria** | landlady, owner |
| **l'assistente di volo** | airhostess |
| **il cameriere di bordo** | steward |
| **il funzionario/ la funzionaria** | civil servant |
| **il dirigente/ la dirigente** | executive |
| **il magazzino** | warehouse |
| **l'officina** | workshop |
| **lo stipendio, il salario** | salary |
| **cercare un impiego** | to look for a job |

## BASIC PHRASES

| | |
|---|---|
| **Che lavoro fa?** | What's your job? |
| **Mio padre è medico** | My father is a doctor |
| **Mia sorella è dentista** | My sister is a dentist |

## HIGHER PHRASES

| | |
|---|---|
| **Mio padre lavora in proprio** | My father is self-employed |
| **Il mio amico fa il ragioniere** | My friend is an accountant |
| **Mi piacerebbe diventare un arredatore** | I would like to become an interior designer |
| **Da quanto tempo lavora lì?** | How long have you been working there? |
| **Mia madre lavora per una ditta inglese** | My mother works for an English company |

### Domande lavoro e impiego

#### operai, autisti, fattorini

**CAMERIERE** alto livello conoscenza inglese ottime referenze offresi per famiglia signorile. Tel. 720.025.

**CUOCO** esperienza 20ennale offresi a buon locale (referenze). Tel. 011 521.4088.

**CUOCO** esperto offresi in Torino. Telefonare 619.1823.

**DIPLOMATO** edile 29enne offresi come operaio o trasportatore patente C. Telefonare 967.7654 dopo le 19.

**DOMESTICO** ottime referenze tuttofare pure stiro offresi ore/giornata. Tel. 220.1715.

**ELETTRICISTA** - cablatore 29enne decennale esperienza offresi presso seria azienda. Tel. 680.1774.

**FUOCHISTA** 1° grado e saldatore offresi a seria ditta. Tel. 011 205.0267.

**GIOVANE** coppia per custodia villa o condominio pratici giardinaggio servizi generici offronsi. Tel. 415.3144 dopo le ore 17.

**GOVERNANTE** pratica persone anziane, cucina, per persona sola offresi. Scrivere: Publikompass 8204 - 10100 Torino.

**IDRAULICO** con esperienza pluriennale cerca lavoro presso ditta seria. Telefonare al 780.6138.

**IMPIEGATA** 24enne esperienza ufficio commerciale estero/Italia gestione clienti/fornitori offresi. Tel. 958.1507 - 958.7258.

**PENSIONATO** cinquantenne volenteroso, dinamico offresi per lavori di magazzino anche part-time. Tel. 338.705 ore 17/19.

**PIZZAIOLO** con esperienza cerca lavoro in pizzeria anche fuori Torino. Telefonare 231.826.

**SIGNORA** referenziata offresi assistenza compagnia a signora anziana. Telefonare 446.534.

**SIGNORA** 46enne referenziata cerca lavoro come collaboratrice domestica. Telefonare 800.0067 dopo le ore 18.

**35ENNE** con esperienza ventennale come meccanico o accettatore collaudatore libero subito offresi. Tel. 397.9835.

### Offerte lavoro e impiego

#### operai, autisti, fattorini

**AZIENDA** grafica torinese cerca magazziniere pratico bollettazione. Scrivere: Publikompass 5349 - 10100 Torino.

**CERCASI** domestica per famiglia 4 persone. 5/7 ore al giorno, pulizia, cucina retribuzione adeguata, contributi. Zona corso Massimo d'Azeglio. Scrivere: Publikompass 5345 - 10100 Torino.

**CERCASI** operaio tubista per assunzione in Cuneo. Telefonare 011 619.2008.

**CERCO** un carpentiere lamierista e un carpentiere con nozioni di aggiustatore meccanico conoscenza disegno. Tel. 011 899.5789 ore ufficio.

**COLLABORATRICE** domestica referenziata cercasi 3 mattine o pomeriggi. Telefonare 819.1269.

**COLLABORATRICE** domestica referenziata esperta orario 8/15 ricerca famiglia 2/3 persone zona Valentino. Tel. 534.561 - 688.678.

**COLLABORATRICE** fissa, referenziata, esperta andamento casa e assistenza anziani cercasi. Tel. 0142 926.123.

**CUOCA,** con esperienza di cucina per casa di riposo privata, cercasi. Per informazioni rivolgersi tel. 011 650.8332 ore uffici.

**DISCOTECA** cerca cameriere capace più cuoco pizzaiolo. Telefonare ore 10-13 al 687.563.

**INDUSTRIA** meccanica cerca aggiustatore attrezzista III IV livello conoscenza disegno età max 30 anni. Tel. 957.4848.

**INDUSTRIA** meccanica cerca fresatori alesuaristi su macchine a C/N ottima conoscenza disegno età max 35 anni, per grandi e medie lavorazioni, retribuzione adeguata alle capacità. Tel. 957.4848.

**PORTINAIA** referenziata condominio in Torino assume. Scrivere: Publikompass 8132 - 10100 Torino.

**TUTTOFARE** pulizie pratica cucina referenziata ristorante in Torino cerca. Tel. 830.416 - 872.291.

# Spare-time jobs and pocket money

## BASIC VOCABULARY

| | |
|---|---|
| **lavorare** | to work |
| **la sterlina** | pound (sterling) |
| **la banca** | bank |
| **il libretto d'assegni** | cheque book |
| **risparmiare** | to save |
| **guadagnare** | to earn |
| **costare** | to cost |
| **comprare** | to buy |
| **spendere** | to spend |
| **caro/a** | expensive |
| **non caro/a, a buon mercato** | cheap |
| **molto** | very |
| **non molto** | not very |

## HIGHER VOCABULARY

| | |
|---|---|
| **il conto** | account, bill |
| **versare in banca** | to pay in to the bank |
| **prestare** | to borrow, to lend |

## BASIC PHRASES

| | |
|---|---|
| **Lavoro ogni sabato** | I work every Saturday |
| **Guadagno due sterline all'ora** | I earn two pounds per hour |
| **Cerco un impiego** | I'm looking for a job |

## HIGHER PHRASES

| | |
|---|---|
| **Ho un conto corrente** | I have a current account |
| **Verso il mio salario in banca ogni settimana** | I put my salary in the bank every week |
| **Sto risparmiando per comprare una nuova bicicletta** | I'm saving to buy a new bike |

Prima occupazione

IMPIEGHI - LAVORI DOMANDE

**CINESE** cerca lavoro come lavapiatti. **TEL. 051-355900.**

Operai

Impiegati

**RAGAZZA** 16enne cerca urgentemente lavoro come assistente alla poltrona in studio dentistico. **TEL. 051-544081.**

Vari

**CERCO** lavoro come operaio anche ristorante barista. **TEL. 051-289698.**

Lavori domicilio

Part-time

# 6 Travel and transport

## Travel to work and to school

### BASIC VOCABULARY

| | |
|---|---|
| **il trasporto** | transport |
| **la macchina, un'automobile** | car |
| **un autobus** | bus |
| **la metropolitana** | underground |
| **la bicicletta** | bicycle |
| **il treno** | train |
| **il motoscafo** | motorboat |
| **a piedi** | on foot |
| **viaggiare** | to travel |
| **entrare** | to enter |
| **uscire** | to go out |
| **tornare, ritornare** | to return |
| **arrivare** | to arrive |
| **partire** | to leave |
| **salire** | to get on, to go up |
| **scendere** | to get off, to come down |
| **restare** | to stay |
| **preferire** | to prefer |
| **la casa** | house |
| **da me** | at my house |
| **la scuola** | school |
| **il collegio** | college |
| **l'ufficio** | office |
| **il lavoro** | work |
| **rapido/a** | fast |
| **lento/a** | slow |
| **diretto/a** | direct |
| **in orario** | on time |
| **in ritardo, tardi** | late |
| **sempre** | always |
| **presto** | soon |

### HIGHER VOCABULARY

| | |
|---|---|
| **rimanere** | to remain, to stay |
| **affrettarsi** | to hurry |
| **aver fretta** | to be in a hurry |
| **fare l'autostop** | to hitchhike |
| **il percorso, il viaggio** | journey |
| **comodo/a** | comfortable |
| **pratico/a** | practical |
| **di buon'ora** | in good time, early |
| **gli spiccioli** | change |

### BASIC PHRASES

| | |
|---|---|
| **Prendo l'autobus per andare alla stazione** | I catch the bus to go to the station |
| **Ritorno a casa dopo le lezioni** | I return home after school |
| **Il treno è sempre in ritardo** | The train is always late |
| **Esco di casa verso le otto** | I leave the house around eight o'clock |

## HIGHER PHRASES

| | |
|---|---|
| **Sono sempre di corsa al mattino prima di uscire** | I'm always in a hurry every morning before I go out |
| **Ci vogliono spiccioli per l'autobus** | You need change for the bus |
| **Vado al lavoro in macchina o in autobus** | I go to work by car or bus |
| **Ci vogliono dieci minuti per arrivare in ufficio** | It takes ten minutes to get to the office |

# Finding the way

## BASIC VOCABULARY

| | |
|---|---|
| **la stazione** | station |
| **la piscina** | swimming pool |
| **lo stadio** | stadium |
| **la piazza** | square |
| **il garage** | garage |
| **il museo** | museum |
| **la discoteca** | disco |
| **il commissariato** | police station |
| **l'ufficio postale** | post office |
| **la trattoria** | restaurant |
| **il castello** | castle |
| | |
| **la strada** | road |
| **la via** | way |
| **l'autostrada** | motorway |
| **il metro** | metre |
| **il chilometro** | kilometre |
| **il centro città** | town centre |
| **il senso** | direction |
| **la distanza** | distance |
| | |
| **a sinistra** | on the left |
| **a destra** | on the right |
| **sempre diritto** | straight ahead |
| **la direzione** | direction |
| **primo/a** | first |
| **secondo/a** | second |
| **continuare** | to continue |
| **attraversare** | to cross |
| **passare** | to pass |
| **salire** | to go up |
| **scendere** | to go down |
| | |
| **il nord** | north |
| **il sud** | south |
| **l'est (m)** | east |
| **l'ovest (m)** | west |
| | |
| **dopo** | after |
| **prima di** | before |
| **accanto a** | next to |
| **dietro a** | behind |
| **davanti a** | in front of |
| **di fronte a** | opposite |
| **laggiù** | down there |
| **in fondo a** | at the end of |
| **vicino/a** | nearby |
| **lontano/a** | far |
| **a due passi** | very near |
| | |
| **il lato** | side |
| **l'angolo** | corner |
| **il semaforo** | traffic lights |
| **il segnale** | sign |
| **il servizio** | services |
| **la carta** | map |
| **la piantina** | street map |

## HIGHER VOCABULARY

| | |
|---|---|
| **il pedone** | pedestrian |
| **il passante** | passerby |
| **l'incrocio** | crossroads |
| **il marciapiede** | footpath |
| **la questura** | police station |
| **l'ingresso** | entrance |
| **l'uscita** | exit |
| **vietato/a** | forbidden |
| **l'informazione (f)** | information |
| | |
| **passeggiare, camminare** | to walk |
| **seguire** | to follow |
| **ripetere** | to repeat |

| | |
|---|---|
| **informare** | to inform |
| **incontrare** | to meet |
| **capire** | to understand |
| **aiutare** | to help |
| **perdersi** | to get lost |
| | |
| **andare incontro a** | to meet |
| **potere** | to be able |
| | |
| **appena** | hardly |
| **altrove** | somewhere else |
| **lungo** | along, beside |
| **unico/a** | only |
| **comunque** | however |

## BASIC PHRASES

| | |
|---|---|
| **Per andare alla spiaggia, per favore?** | How do I get to the beach, please? |
| **È lontano/a?** | Is it far? |
| **Prenda la prima strada a sinistra** | Take the first turning on the left |
| **Il cinema è a due passi** | The cinema is very near |
| **Quanto tempo ci vuole per arrivarci?** | How long does it take to get there? |

## HIGHER PHRASES

| | |
|---|---|
| **È senso unico, allora l'entrata è vietata da questa direzione** | It's a one-way street, so entry is forbidden from this direction |
| **Mi perdo sempre nelle grandi città** | I always get lost in big cities |
| **Continui lungo la strada per cento metri** | Continue along the road for a hundred metres |

# Public transport

## BASIC VOCABULARY

| | |
|---|---|
| **il treno** | train |
| **il biglietto** | ticket |
| **andata e ritorno** | return (ticket) |
| **semplice, solo andata** | single (ticket) |
| **la classe** | class |
| **la prima classe** | first class |
| **la seconda classe** | second class |
| | |
| **comprare** | to buy |
| **costare** | to cost |
| **prenotare** | to book, to reserve |
| **la prenotazione** | reservation |
| **l'orario** | timetable |
| **prossimo/a** | next |
| **ultimo/a** | last |
| **lo sportello** | ticket counter |
| | |
| **la partenza** | departure |
| **la valigia** | suitcase |
| **il bagaglio** | luggage |
| **il viaggio** | journey |
| **arrivare** | to arrive |
| **l'arrivo** | arrival |
| | |
| **rapido/a** | quick |
| **lento/a** | slow |
| **in orario** | on time |
| **in ritardo** | late |
| | |
| **il (treno) diretto** | direct train |
| **prendere** | to catch |
| **la stazione** | station |
| **il binario** | platform |
| **la sala d'aspetto** | waiting room |
| **il deposito bagagli** | left luggage |
| **gli oggetti smarriti** | lost property |
| **l'ufficio informazioni** | information office |

| | |
|---|---|
| **la ferrovia** | railway |
| **la coincidenza** | connection |
| **cambiare** | to change |
| **la rete** | network |
| **sporgersi** | to lean out |
| **il vagone, la vettura** | carriage |
| **la vettura ristorante** | dining car |
| **lo scompartimento** | compartment |
| **la linea** | line |
| | |
| **il gabinetto** | toilet |
| **occupato/a** | engaged |
| **libero/a** | vacant, free |
| **il facchino, il portabagagli** | porter |
| **fumare** | to smoke |
| **fumatori** | smoking compartment |
| **non fumatori** | non-smoking compartment |
| **in arrivo** | arriving (train) |
| **in partenza** | leaving (train) |
| | |
| **il pullman** | coach |
| **la corriera** | local bus |
| **la fermata** | bus stop |
| **fermarsi** | to stop |
| **riservare** | to reserve |
| | |
| **perdere** | to miss |
| **il tassì** | taxi |
| **da** | from |
| **a** | to |
| **per** | for/to |
| **il camion** | lorry |

## HIGHER VOCABULARY

| | |
|---|---|
| **l'aliscafo** | hydrofoil |
| **il battello** | boat |
| **la crociera** | cruise |
| **il traghetto** | ferry |
| **la nave** | ship |
| **il filobus** | trolley-bus |
| **il piroscafo** | steamship |
| **il tram** | tram |
| **l'aereo** | plane |
| | |
| **il supplemento** | supplement |
| **la cuccetta** | couchette |
| **il finestrino** | window |
| **pericoloso/a** | dangerous |
| **il pericolo** | danger |
| **in anticipo** | early |
| **il (treno) locale** | local train |
| **la locomotiva** | (railway) engine |
| **il capolinea** | terminus |
| **la mancia** | tip |
| | |
| **il conducente** | driver |
| **il pilota** | pilot |
| **il macchinista** | engine-driver |
| **la frontiera** | border |
| **la dogana** | customs |
| **il doganiere** | customs official |
| **il passaporto** | passport |
| **dichiarare** | to declare |
| **l'articolo** | object |
| **aprire** | to open |
| **chiudere** | to close |
| **il controllo** | check |
| | |
| **fare la coda** | to queue |
| **la gente** | people |
| **facoltativo/a** | optional |
| **obbligatorio/a** | obligatory |
| **la periferia** | outskirts |
| **i sobborghi** | suburbs |
| **il prezzo** | price |
| **ridotto/a** | reduced |
| | |
| **assicurare** | to insure |
| **volare** | to fly |
| **il volo** | flight |
| **il porto** | port |
| **il transatlantico** | liner |

## BASIC PHRASES

| | |
|---|---|
| **Vorrei un biglietto andata e ritorno per Firenze, per favore** | I'd like a return ticket to Florence, please |
| **Da che binario parte il treno?** | From which platform does the train leave? |
| **Si deve cambiare a Bologna** | You have to change in Bologna |
| **Scusi, dov'è la fermata dell'autobus?** | Excuse me, where is the bus stop? |
| **Ho perso il treno. Sono in ritardo** | I missed my train. I'm late |

## HIGHER PHRASES

| | |
|---|---|
| **Ha qualche cosa da dichiarare?** | Have you anything to declare? |
| **No, non ho niente da dichiarare** | No, I have nothing to declare |
| **È vietato sporgersi dal finestrino** | Do not lean out of the window |
| **Prendo il traghetto per andare in Francia** | I catch the ferry to go to France |

# Private transport

## BASIC VOCABULARY

| | |
|---|---|
| **la vespa** | motor scooter |
| **la motocicletta** | motorbike |
| **la macchina** | car |
| **un autista** | driver |
| **la patente** | driving licence |
| **la carta automobilistica** | road map |
| **guidare** | to drive |
| **parcheggiare** | to park |
| **il parcheggio** | car park |
| **il semaforo** | traffic lights |
| **l'incrocio** | crossroads |
| **il cartello** | road sign |
| **sorpassare** | to exceed |
| **la velocità** | speed |
| **l'autostrada** | motorway |
| **rallentare** | to slow down |
| **la polizia** | police |
| **frenare** | to brake |
| **filare** | to drive quickly |
| **lavori in corso** | work in progress |
| **il distributore** | petrol station |
| **la sosta** | stop |
| **controllare, verificare** | to check |
| **la benzina** | petrol |
| **fare il pieno** | to fill up |
| **vuoto/a** | empty |
| **la nafta** | diesel |
| **normale** | 2-star |
| **super** | 4-star |
| **senza piombo** | unleaded |
| **l'olio** | oil |
| **il litro** | litre |
| **la ruota** | wheel |
| **la gomma, il pneumatico** | tyre |
| **gonfiare** | to inflate |
| **riparare** | to repair |
| **il motore** | engine |
| **il volante** | steering-wheel |
| **il freno** | brake |
| **guasto/a** | broken |

## HIGHER VOCABULARY

| | |
|---|---|
| **un'assicurazione** | insurance |
| **il documento** | document, official papers |
| **un incidente** | accident |
| **lo scontro** | collision |
| **arrestare** | to arrest |
| **il poliziotto, il vigile** | police officer |
| **il codice stradale** | highway code |
| **avere il diritto** | to have the right |
| **la multa** | fine |
| **la curva** | corner |
| **dovere** | to have to |
| **la marca** | make (of car) |
| **il cofano** | bonnet |
| **la batteria** | battery |
| **la targa** | number plate |
| **allacciare** | to fasten |
| **la cintura di sicurezza** | seat-belt |
| **il copertone** | tyre |
| **la pressione** | pressure |
| **forare** | to puncture |
| **la foratura** | puncture |
| **la pompa** | pump |
| **il lavaggio** | car wash |
| **i pezzi di ricambio** | spare parts |
| **noleggiare, prendere a nolo** | to hire |
| **il pedaggio** | toll |
| **il posteggio** | parking lot |
| **la zona** | area |

## BASIC PHRASES

| | |
|---|---|
| **Mi fa il pieno, per favore?** | Will you fill up the tank, please? |
| **Mi può controllare l'olio e l'acqua, per favore?** | Can you check the oil and water for me, please? |

## HIGHER PHRASES

| | |
|---|---|
| **C'è stato un incidente sull'autostrada** | There was an accident on the motorway |
| **All'estero prendo sempre a nolo una macchina** | I always rent a car when I go abroad |
| **In Italia si deve pagare il pedaggio** | In Italy you have to pay the toll |
| **È vietato sorpassare centododici chilometri all'ora sull'autostrada in Gran Bretagna** | It is illegal to exceed 112 kilometres per hour on the motorway in Britain |
| **È obbligatorio allacciare la cintura di sicurezza in macchina e in aereo** | It's obligatory to wear a seat-belt in a car and in a plane |
| **I pezzi di ricambio sono cari per questa marca di automobile** | The spare parts are expensive for this make of car |

# 7 Holidays

## General

### BASIC VOCABULARY

| | |
|---|---|
| **la vacanza** | holiday |
| **andare in vacanza** | to go on holiday |
| **il Natale** | Christmas |
| **la Pasqua** | Easter |
| | |
| **al mare** | by the sea |
| **sulla riva del mare** | by the seaside |
| **la spiaggia** | beach |
| **l'asciugamano** | towel |
| **fare il bagno** | to go for a swim |
| **nuotare** | to swim |
| **il costume da bagno** | bathing costume |
| **la crema solare** | suntan cream |
| **il sole** | sun |
| **splendere** | to shine |
| **la sedia a sdraio** | sun-lounger |
| **un ombrellone** | sunshade |
| **il cielo** | sky |
| **l'aria** | air |
| **la barca** | boat |
| | |
| **quindici giorni** | fortnight |
| **restare** | to stay |
| **il pomeriggio** | afternoon |
| **molto tempo** | a long time |
| **quasi** | almost |
| **una settimana** | week |
| **il weekend** | weekend |
| **una volta** | once |
| | |
| **la montagna** | mountain |
| **la neve** | snow |
| **sciare** | to ski |
| **la pista** | slope |
| **la luce** | light |
| | |
| **la campagna** | countryside |
| **la passeggiata** | walk |
| **all'aria aperta** | in the open air |
| **fare campeggio** | to camp |
| **sano/a** | healthy |
| **la salute** | health |
| | |
| **l'agenzia viaggi** | tourist office |
| **la gita** | outing |
| **interessante** | interesting |
| **visitare** | to visit |
| **il monumento** | monument |
| **la galleria d'arte** | art gallery |
| **la foto** | photo |
| **il pullman** | coach |

## HIGHER VOCABULARY

| | |
|---|---|
| **il mondo** | world |
| **il paese** | country, village |
| **il/la turista** | tourist |
| **il villaggio** | village |
| **affittare** | to rent |
| **la guida** | guide, guidebook |
| **il turismo** | tourism |
| **l'estate (f)** | summer |
| **mesi estivi** | summer months |
| **prendere il sole** | to sunbathe |
| **la sabbia** | sand |
| **il tramonto** | sunset |
| **il film** | film |
| **la diapositiva** | slide |
| **il mare mosso** | rough sea |
| **andarsene** | to go away |
| **quindici giorni** | fortnight |
| **di solito** | usually |
| **ricordarsi** | to remember |
| **dimenticare** | to forget |
| **l'ospitalità** | hospitality |
| **storico/a** | historical |

## BASIC PHRASES

| | |
|---|---|
| **Quest'anno vado in montagna a sciare** | This year I'm going skiing in the mountains |
| **Mi piace stare sulla spiaggia tutta la giornata** | I like staying on the beach all day |
| **Non sono mai stato/a in Germania** | I have never been to Germany |
| **Buona vacanza!** | Have a good holiday! |

## HIGHER PHRASES

| | |
|---|---|
| **Durante i mesi estivi andiamo in campagna a visitare la nonna** | In the summer (months) we go to the country to visit our grandmother |
| **Devo andarmene via ogni tre mesi per evadere da una vita piena di impegni** | I have to get away every three months to escape my busy life |
| **Non mi ricordo la mia prima visita a Roma** | I don't remember my first visit to Rome |
| **Mi diverto sempre in vacanza** | I always enjoy myself on holiday |

# Hotel accommodation

## BASIC VOCABULARY

**l'albergo** hotel
**la camera** room
**la camera singola** single room
**la camera doppia** double room
**il numero** number
**la stanza da bagno** bathroom
**la doccia** shower
**il bagno** bath
**il letto** bed
**la pensione completa** full board
**solo/a** alone

**prenotare, riservare** to book
**scrivere** to write
**mandare** to send
**rispondere** to reply
**la data** date
**libero/a** free, vacant
**completo/a** full
**trovarsi** to be situated

**il prezzo, la tariffa** price
**per persona** per person
**per notte** per night
**il passaporto** passport
**la chiave** key

**l'ospitalità** hospitality
**il padrone** boss
**l'impiegato/a** employee
**il direttore** manager
**la direttrice** manageress
**privato/a** private

**partire** to leave
**pagare** to pay
**compreso/a, incluso/a** included
**ringraziare** to thank

**comodo/a** comfortable
**moderno/a** modern
**con** with
**senza** without
**qualcosa** something
**altro/a** other, different
**per** for

**il ristorante** restaurant
**la prima colazione** breakfast
**il pranzo** lunch
**il pasto** meal

**l'entrata** entrance
**il piano** floor
**il pianterreno** first floor
**un ascensore** lift
**la valigia** suitcase
**i bagagli** luggage
**il televisore** television set
**il telefono** telephone
**l'uscita di sicurezza** emergency exit
**servito/a** served
**la vista** view

## HIGHER VOCABULARY

**criticare** to criticise
**il rumore** noise
**sporco/a** filthy
**apprezzare** to appreciate
**soddisfacente** satisfying
**la direzione** management

**la lista** list
**la scheda** card
**il dettaglio** detail
**il prezzo massimo** maximum price
**il prezzo minimo** minimum price
**di gran lusso** luxurious

## BASIC PHRASES

| | |
|---|---|
| **Ha camere libere?** | Do you have any rooms free? |
| **È compresa la prima colazione?** | Is breakfast included? |
| **È per due persone per tre notti** | It's for two people for three nights |
| **A che ora è la cena?** | What time do you serve dinner? |

## HIGHER PHRASES

| | |
|---|---|
| **La camera è troppo rumorosa** | The room is too noisy |
| **Non funziona l'ascensore** | The lift doesn't work |
| **Ha una camera con doccia e televisore?** | Have you got a room with a shower and television? |
| **Vorrei vedere la direttrice, per favore** | I'd like to see the manageress, please |

# Camping

## BASIC VOCABULARY

| | |
|---|---|
| **campeggiare** | to camp |
| **il campeggiatore** | camper |
| **il campeggio** | campsite |
| **municipale** | town *(adj)* |
| **la tenda** | tent |
| **la roulotte** | caravan |
| **la posizione** | position |
| **la notte** | night |
| **la settimana** | week |
| **un adulto** | adult |
| **un supplemento** | extra |
| **il veicolo** | vehicle |
| **accettare** | to accept |
| **la lampadina tascabile** | torch |
| **il fornello a spirito** | spirit stove |
| **i fiammiferi** | matches |
| **la lampada a gas** | gas lamp |
| **il cucchiaio** | spoon |
| **la forchetta** | fork |
| **il coltello** | knife |
| **il termos** | flask |
| **il bicchiere** | glass |
| **caldo/a** | hot |
| **freddo/a** | cold |
| **il lettino** | camp bed |
| **il gabinetto** | toilet |
| **lavare** | to wash |
| **il lavabo, l'acquaio** | sink |
| **la lavatrice** | washing machine |
| **il sacco per i rifiuti** | rubbish bag |

## HIGHER VOCABULARY

| | |
|---|---|
| **la borraccia** | water bottle |
| **l'acqua potabile** | drinking water |
| **il mazzuolo** | mallet |
| **la corda** | rope |
| **il nodo** | knot |
| **il picchetto** | peg |
| **il tirante** | rod, pole |
| **il temperino** | penknife |
| **la bussola** | compass |
| **il sacco a pelo** | sleeping bag |
| **lo zaino** | rucksack |
| **la dispensa portatile** | cupboard |
| **la tavola pieghevole** | folding table |
| **la griglia** | grill |
| **il seggiolino** | small seat |

## BASIC PHRASES

| | |
|---|---|
| **Mi piace campeggiare vicino al mare** | I like camping near the sea |
| **Si paga un supplemento per il veicolo** | You pay extra for the car |
| **Di notte ci vuole una lampadina tascabile** | You need a torch at night |

## HIGHER PHRASES

| | |
|---|---|
| **Qualche volta l'acqua non è potabile** | Sometimes the water isn't drinkable |
| **Lo zaino è molto pratico per portare provvisioni** | A rucksack is very practical for carrying food |
| **È molto piacevole campeggiare d'estate quando fa caldo** | It's very pleasant camping in the summer when it's hot |

# Youth hostel

## BASIC VOCABULARY

| | |
|---|---|
| **l'ostello della gioventù** | youth hostel |
| **l'ufficio** | office |
| **chiedere** | to ask |
| **aprire** | to open |
| **chiudere** | to close |
| **costare** | to cost |
| **quant'è?** | how much is it? |
| **per notte** | per night |
| **il letto** | bed |
| **il dormitorio** | dormitory |
| **dormire** | to sleep |
| **il ragazzo** | boy |
| **la ragazza** | girl |
| **la donna** | woman |
| **l'uomo** | man |
| **l'ospite (m,f)** | guest |
| **il pasto** | meal |
| **pranzare** | to dine |
| **tutto l'anno** | all year |
| **la pattumiera** | dustbin |
| **la biancheria** | laundry |
| **la sala di ricreazione** | games room |
| **la sala da pranzo** | dining room |
| **la doccia** | shower |
| **la stanza da bagno** | bathroom |
| **la vacanza** | holiday |
| **il soggiorno** | stay |
| **il silenzio** | silence |
| **la tariffa** | price |
| **la posta** | post |

## HIGHER VOCABULARY

| | |
|---|---|
| **affittare** | to hire |
| **vietato/a** | not allowed |
| **la carta d'identità** | identity card |
| **la tessera di associazione** | membership card |
| **il pasto pronto** | prepared meal |
| **la mappa** | map |

## BASIC PHRASES

| | |
|---|---|
| **Ho riservato due letti per stasera** | I have booked two beds for this evening |
| **A che ora chiude l'ostello?** | What time does the youth hostel shut? |
| **Quanto costa la doccia?** | How much does the shower cost? |
| **È mezza pensione o pensione completa?** | Is it half or full board? |
| **C'è un supermercato qui vicino?** | Is there a supermarket near here? |

## HIGHER PHRASES

| | |
|---|---|
| **Vorrei affittare un sacco a pelo** | I would like to hire a sleeping bag |
| **Non c'è acqua calda** | There isn't any hot water |
| **Quando posso ritirare la mia carta d'identità?** | When can I collect my identity card? |

# Holiday home

## BASIC VOCABULARY

| | |
|---|---|
| **un appartamento** | flat |
| **una casetta** | villa |
| **affittare** | to rent |
| **a partire da** | from |
| **moderno/a** | modern |
| **grande** | big |
| **trovarsi** | to be situated |
| **passare un po' di tempo** | to spend time |
| **la chiave** | key |
| **il parcheggio** | car park |
| **l'edificio** | building |

## HIGHER VOCABULARY

| | |
|---|---|
| **fuori stagione** | out of season |
| **l'alta stagione** | peak season |
| **uno sconto** | reduction |
| **in buone condizioni** | in good condition |
| **pescare** | to fish |
| **il raccolto** | harvest |
| **la caccia** | hunting |
| **il villaggio** | village |

## BASIC PHRASES

| | |
|---|---|
| **Dove si lascia la chiave?** | Where do you leave the key? |
| **Quando è libera la casetta?** | When is the villa/cottage free? |
| **Scriverò per confermare** | I will write to confirm |
| **Si può nuotare qui vicino?** | Can you swim near here? |

## HIGHER PHRASES

| | |
|---|---|
| **È meno caro fuori stagione?** | Is it cheaper out of season? |
| **Mi piacerebbe tornarci l'anno prossimo** | I would like to come back here next year |
| **A chi posso rivolgermi per reclamare per la cucina?** | To whom do I complain about the kitchen? |
| **Mi può fare uno sconto?** | Can you give me a discount? |

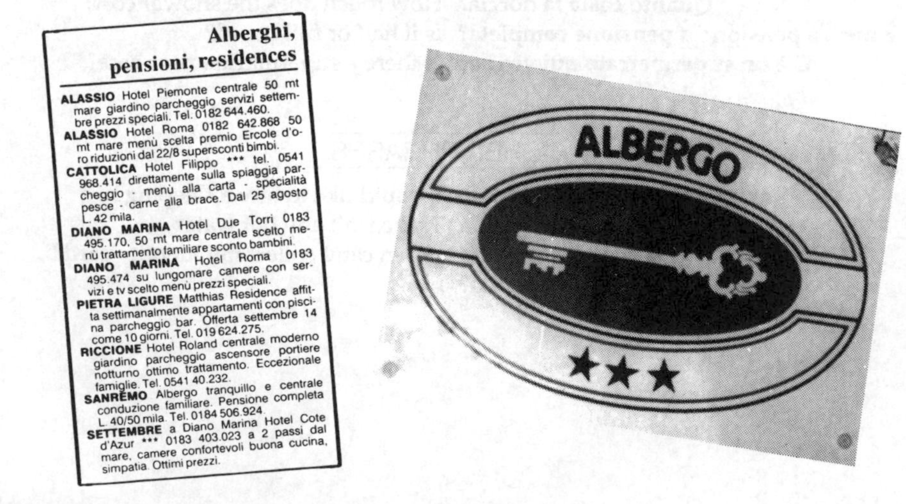

**Alberghi, pensioni, residences**

**ALASSIO** Hotel Piemonte centrale 50 mt mare giardino parcheggio servizi settembre prezzi speciali. Tel. 0182 644.460.

**ALASSIO** Hotel Roma 0182 642.868 50 mt mare menù scelta premio Ercole d'oro riduzioni dal 22/8 supersconti bimbi.

**CATTOLICA** Hotel Filippo *** tel. 0541 968.414 direttamente sulla spiaggia parcheggio - menù alla carta - specialità pesce - carne alla brace. Dal 25 agosto L. 42 mila.

**DIANO MARINA** Hotel Due Torri 0183 495.170, 50 mt mare centrale scelto menù trattamento familiare sconto bambini.

**DIANO MARINA** Hotel Roma 0183 495.474 su lungomare camere con servizi e tv scelto menù prezzi speciali.

**PIETRA LIGURE** Matthias Residence affitta settimanalmente appartamenti con piscina parcheggio bar. Offerta settembre 14 come 10 giorni. Tel. 019 624.275.

**RICCIONE** Hotel Roland centrale moderno giardino parcheggio ascensore portiere notturno ottimo trattamento. Eccezionale famiglie. Tel. 0541 40.232.

**SANREMO** Albergo tranquillo e centrale conduzione familiare. Pensione completa L. 40/50 mila. Tel. 0184 506.924.

**SETTEMBRE** a Diano Marina Hotel Cote d'Azur *** 0183 403.023 a 2 passi dal mare, camere confortevoli buona cucina, simpatia. Ottimi prezzi.

# 8 Food and drink

## Items of food and drink

### BASIC VOCABULARY

**il cibo** food
**mangiare** to eat
**bere** to drink
**la bibita** drink

**la carne** meat
**l'agnello** lamb
**l'arrosto** roast meat
**il vitello** veal
**il maiale** pork
**il manzo** beef
**il prosciutto cotto** cooked ham
**il prosciutto crudo** dry-cured ham

**il salame** salami
**la mortadella** mortadella (type of salami)
**l'antipasto misto** hors d'œuvre of cooked meats

**il pesce** fish
**la trota** trout
**i gamberetti** prawns
**il tonno** tuna
**l'uovo** egg
**le uova** eggs
**la frittata** omelette
**fritto/a** fried

**la frutta** fruit
**la mela** apple
**l'arancia** orange
**un ananas** pineapple
**la fragola** strawberry
**la ciliegia** cherry
**la pesca** peach
**l'uva** grapes
**il pompelmo** grapefruit
**la pera** pear
**il melone** melon
**la verdura** vegetables
**la cipolla** onion
**i fagiolini** beans
**l'insalata** salad
**il peperone** pepper
**l'aglio** garlic
**i piselli** peas
**la melanzana** aubergine
**l'oliva** olive
**la patata** potato
**le patate fritte** chips
**il pomodoro** tomato
**i funghi** mushrooms

**il succo di frutta** fruit juice
**il caffè** coffee
**il caffelatte** coffee with milk
**la cioccolata** chocolate
**il tè** tea
**con latte** with milk
**con limone** with lemon
**l'acqua** water
**l'acqua minerale** mineral water
**la granita** iced drink (made with crushed ice and fruit juice)
**la limonata** lemonade
**la coca-cola** coca-cola
**la birra** beer
**il vino** wine
**il vino bianco** white wine
**il vino rosso** red wine
**avere sete** to be thirsty

**il pane** bread
**la pagnotta** round loaf

## (BASIC VOCABULARY)

| | |
|---|---|
| **il panino** | bread roll |
| **il filoncino** | long, thin bread |
| **la brioche** | brioche |
| **la marmellata** | jam |
| **il burro** | butter |
| **il sale** | salt |
| **il pepe** | pepper |
| | |
| **avere fame** | to be hungry |
| **la pizza** | pizza |
| **il pezzo** | piece |
| **le caramelle** | sweets |
| **le patatine** | crisps |
| **le patate fritte** | chips |
| **il biscotto** | biscuit |
| | |
| **i pasti** | meals |
| **la prima colazione** | breakfast |
| **il pranzo** | lunch |
| **pranzare** | to have lunch |
| **la cena** | dinner |
| **cenare** | to have dinner |
| **la zuppa** | soup |
| **l'insalata** | salad |
| **l'insalata mista** | mixed salad |
| | |
| **il dolce** | sweet |
| **la frutta** | fruit |
| **il gelato** | ice-cream |
| **la torta** | cake |
| **il formaggio** | cheese |
| **lo yoghurt** | yogurt |
| | |
| **detestare** | to detest |
| **preferire** | to prefer |
| **il gusto, il sapore** | taste |
| **squisito/a** | exquisite, delicious |
| **come** | like |
| **caldo/a** | hot |
| **freddo/a** | cold |

## HIGHER VOCABULARY

| | |
|---|---|
| **i frutti di mare** | seafood |
| **la frittura di pesce** | fried seafood |
| **il merluzzo** | cod |
| **il baccalà** | dried cod |
| **la vongola** | clam |
| **il gambero** | shrimp |
| **la sardina** | sardine |
| **la dozzina** | dozen |
| **la mezza dozzina** | a half dozen |
| | |
| **il carciofo** | artichoke |
| **il cavolo** | cabbage |
| **il cavolfiore** | cauliflower |
| **la maionese** | mayonnaise |
| **tagliare** | to cut |
| | |
| **uno spuntino, la merenda** | snack |
| **il biscotto** | biscuit |
| **la crostata** | tart |
| | |
| **l'anguria, il cocomero** | watermelon |
| **il lampone** | raspberry |
| **il limone** | lemon |
| **una fetta** | slice |
| **la macedonia** | fruit salad |
| **la zuppa inglese** | trifle |
| | |
| **il liquore** | liqueur |
| **il martini** | martini |
| **il vermut** | vermouth |
| **il marsala** | vermouth (from Sicily) |
| **l'amaretto** | almond liqueur |
| **la spremuta** | fresh fruit squash |
| **gassoso/a** | carbonated, fizzy |
| | |
| **la pietanza** | main dish |
| **il coniglio** | rabbit |
| **il montone** | mutton |
| **il capretto** | young goat |
| | |
| **il gusto** | taste |
| **delizioso/a** | delicious |
| **appetitoso/a** | tasty |
| **zuccherato/a** | sweet |
| **piccante** | hot (spicy) |
| **provare** | to try |
| **salato/a** | salty |
| **affumicato/a** | smoked |

## BASIC PHRASES

| | |
|---|---|
| **Mi dà un mezzo chilo di mele e un chilo di pesche, per favore** | Half a kilo of apples and a kilo of peaches, please |
| **Per il picnic preparo un dolce squisito** | For the picnic I am preparing a delicious dessert |
| **Una limonata con una fetta di limone, per favore** | A lemonade with a slice of lemon, please |

## HIGHER PHRASES

| | |
|---|---|
| **Questi frutti di mare sono deliziosi** | This seafood is delicious |
| **La zuppa inglese qualche volta è troppo dolce per me** | Trifle can be too sweet for me |

# Restaurants and cafés

## BASIC VOCABULARY

| | |
|---|---|
| **il bar** | bar |
| **il caffè, il bar** | coffee bar |
| **il ristorante, la trattoria** | restaurant |
| **l'osteria** | tavern |
| **la tavola calda** | snack bar |
| **il locale** | premises |
| **la pizzeria** | pizza restaurant |
| **il cameriere** | waiter |
| **la cameriera** | waitress |
| **il gabinetto** | toilet |
| **turistico/a** | touristy |
| **il padrone** | manager, owner |
| **il tavolo** | table |
| **il servizio** | service |
| **l'antipasto** | starter |
| **il primo piatto** | first course |
| **il secondo piatto** | second (main) course |
| **il dolce** | dessert |
| **il contorno** | vegetables |
| **il piatto del giorno** | dish of the day |
| **il menù da ventimila lire** | 20,000 lire menu |
| **la carta, il menù** | menu |
| **la lista** | list |
| **consigliare** | to advise |
| **ordinare** | to order |
| **scegliere** | to choose |
| **servire** | to serve |
| **prendere** | to take, to have |
| **per me** | for me |
| **la bottiglia** | bottle |
| **il quarto** | quarter |
| **il bicchiere** | glass |
| **la caraffa** | carafe |
| **il vino della casa** | house wine |
| **il ghiaccio** | ice |
| **buono/a** | good |
| **eccellente** | excellent |
| **il profumo, l'odore (m)** | smell, aroma |
| **la cucina** | cooking, kitchen |
| **la specialità** | speciality |
| **una specie di** | a kind of |
| **regionale** | regional |
| **la cotoletta** | cutlet |
| **ben cotto/a** | well cooked |
| **al dente** | underdone (spaghetti) |
| **lo scontrino** | ticket (for drinks) |
| **il supplemento** | extra charge |
| **il conto** | bill |
| **costare** | to cost |
| **incluso/a, compreso/a** | included |
| **la tovaglia** | table-cloth |
| **il tovagliolo** | napkin |

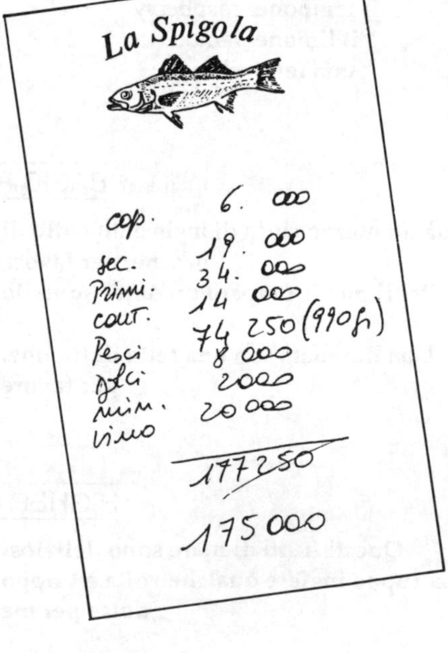

## HIGHER VOCABULARY

| | |
|---|---|
| **prenotare** | to book |
| **aver voglia di** | to want |
| **desiderare** | to want |
| **gradire** | to like |
| **apprezzare** | to appreciate |
| **approvare** | to approve |
| **contento/a** | happy |
| **complimentarsi con** | to compliment |
| **i complimenti** | compliments |
| **il posto** | place, seat |
| | |
| **lamentarsi** | to complain |
| **protestare** | to protest |
| **essere irritato/a** | to be annoyed |
| **insultare** | to insult |
| **aver vergogna di** | to be embarrassed |
| **andare in collera** | to get angry |
| **lo sbaglio, l'errore (m)** | mistake |
| **inammissibile** | unacceptable |
| | |
| **interamente** | completely |
| **fa lo stesso** | it makes no difference |
| **basta** | that's enough |
| | |
| **il fiasco** | straw-covered bottle |
| **frizzante, spumante** | sparkling |
| **soddisfatto/a** | satisfied |
| **la scelta** | choice |
| **il tipo** | sort |
| **il coperto** | cover charge |
| **la mancia** | tip |

## BASIC PHRASES

| | |
|---|---|
| **Da bere, prendiamo una bottiglia di vino bianco** | We'll have a bottle of white wine to drink |
| **Il conto, per favore** | The bill, please |
| **Come contorno prendo spinaci al burro** | For vegetables I'll have spinach in butter |
| **Vorrei prenotare un tavolo per quattro** | I would like to book a table for four |
| **Il servizio è incluso?** | Is service included? |

## HIGHER PHRASES

| | |
|---|---|
| **Per me fa lo stesso bere vino bianco o rosso** | White or red wine is all the same to me |
| **Complimenti al cuoco!** | Compliments to the cook! |
| **Mi lamento quando c'è uno sbaglio nel conto** | I complain when there's a mistake in the bill |
| **Quando il servizio non è incluso, si consiglia di lasciare una mancia** | When service is not included, it's advisable to leave a tip |

# 9 Shopping

## Shops and goods sold (excluding food)

### BASIC VOCABULARY

| | |
|---|---|
| **la bottega, il negozio** | shop |
| **la panetteria** | bread shop |
| **la pasticceria** | cake shop |
| **la latteria** | dairy |
| **la drogheria** | grocer's |
| **alimentari** | general food store |
| **la salumeria** | delicatessen |
| **la macelleria** | butcher's |
| **il mercato** | market |
| **il supermercato** | supermarket |
| **la libreria** | bookshop |
| **il libro** | book |
| **il giornale** | newspaper |
| **la rivista** | magazine |
| **il grande magazzino** | department store |
| **la gioielleria** | jeweller's |
| **il gioiello** | jewel |
| **l'argento** | silver |
| **l'oro** | gold |
| **la profumeria** | perfume shop |
| **il negozio di abbigliamento** | clothes shop |
| **la tabaccheria** | tobacconist's |
| **la cartolina postale** | postcard |
| **la busta** | envelope |
| **i fiammiferi** | matches |
| **la matita** | pencil |
| **la penna** | pen |
| **il francobollo** | stamp |
| **il regalo** | present |
| **il ricordo** | souvenir |
| **il disco** | record |
| **la porcellana** | china |
| **la cristalleria** | glassware |

### HIGHER VOCABULARY

| | |
|---|---|
| **il calzolaio** | shoe shop |
| **le scarpe** | shoes |
| **la pelle** | leather |
| **i sandali** | sandals |
| **gli stivali** | boots |
| **il fruttivendolo** | fruiterer |
| **il verduraio** | greengrocer |
| **il trucco** | make-up |
| **gli orecchini** | earrings |
| **la collana** | necklace |
| **il giocattolo** | toy |

Libreria Rinascita
50019 SESTO FIORENTINO (Firenze)
Via A. Gramsci, 334 - Tel. (055) 44.01.07

# Clothes

## BASIC VOCABULARY

|  |  |
|---|---|
| **i vestiti** | clothes |
| **mettere** | to put on |
| **portare** | to wear |
| **provare** | to try |
| **cambiare** | to change |
| **piccolo/a** | small |
| **grande** | big |
| **corto/a** | short |
| **lungo/a** | long |
| **stretto/a** | tight/narrow |
| **largo/a** | wide |
| **giusto/a** | just right |
| **andare bene** | to fit |
| **troppo** | too |
| **la misura** | size |
| **la cintura** | belt |
| **la camicia** | shirt |
| **la camicetta** | blouse |
| **il vestito** | dress |
| **la gonna** | skirt |
| **i guanti** | gloves |
| **il cappello** | hat |
| **la giacca** | jacket |
| **il vestito a gialla** | suit |
| **il vestito da uomo** | man's suit |
| **la cravatta** | tie |
| **i calzoni, i pantaloni** | trousers |

|  |  |
|---|---|
| **i jeans** | jeans |
| **i calzoncini** | shorts |
| **il pigiama** | pyjamas |
| **il pullover** | sweater |
| **il cappotto, il soprabito** | overcoat |
| **un impermeabile** | raincoat |
| **l'ombrello** | umbrella |
| **il costume da bagno** | bathing costume |
| **il bikini** | bikini |
| **le calze** | stockings |
| **i calzini** | socks |
| **i sandali** | sandals |
| **il paio** | pair |
| **il fazzoletto** | handkerchief |
| **pelle** | leather |
| **cotone** | cotton |
| **lana** | wool |
| **flanella** | flannel |
| **nailon** | nylon |
| **la stoffa** | material |
| **andare a cercare** | to look for |
| **a buon prezzo** | cheap |
| **caro/a** | dear |
| **importato/a** | imported |
| **aumentare** | to go up (in price) |

### HIGHER VOCABULARY

| | |
|---|---|
| **un paio di collant** | a pair of tights |
| **la maglia** | cardigan, jumper |
| **la vetrina** | shop window |
| **velluto** | velvet |
| **metallo** | metal |
| **strappato/a** | torn |
| **rotto/a** | broken |
| **rimborsare** | to refund |
| **il rimborso** | refund |
| **sostituire** | to replace |
| **il reparto** | department |
| **la svendita, i saldi** | sales |
| **in vendita** | for sale |
| **offrire** | to offer |
| **uno sconto, la riduzione** | reduction |
| **il pagamento** | payment |
| **il conto** | account |
| **credito** | credit |
| **l'imposta** | tax |

### BASIC PHRASES

| | |
|---|---|
| **Vorrei provare questo vestito rosso** | I'd like to try on this red dress |
| **Che taglia è?** | What size is it? |
| **Questi sandali sono troppo stretti** | These sandals are too tight |
| **Di che cosa è fatto?** | What is it made of? |

### HIGHER PHRASES

| | |
|---|---|
| **Mi può fare uno sconto, per favore?** | Can you give me a discount, please? |
| **La camicia in vetrina è di cotone** | The shirt in the window is made of cotton |
| **La giacca è strappata. Vorrei un rimborso** | The jacket is torn. I'd like a refund |

## General shopping vocabulary

### BASIC VOCABULARY

| | |
|---|---|
| **fare la spesa** | to do the shopping |
| **comprare** | to buy |
| **vendere** | to sell |
| **aprire** | to open |
| **aperto/a** | open |
| **chiudere** | to close |
| **chiuso/a** | closed |
| **volere** | to want |
| **la cassa** | cash desk, checkout |
| **vorrei** | I would like |
| **mi dà ...?** | can you give me ...? |
| **ecco** | here you are |
| **che cosa desidera?** | what would you like? |
| **altro?** | anything else? |
| **basta così?** | is that alright? |
| **quant'è?** | how much is it? |
| **un po' più** | a bit more |
| **un po' meno** | a bit less |
| **va bene così** | that's fine |
| **lo/la prendo** | I'll take it |
| **pagare** | to pay |
| **il prezzo** | price |
| **a buon mercato** | cheap |
| **caro/a** | expensive |

## (BASIC VOCABULARY)

| | |
|---|---|
| **la cosa** | thing |
| **differente** | different |
| **la differenza** | difference |
| **la lista, l'elenco** | list |
| **gratuito/a** | free |
| **qualcosa** | something |
| **altro** | something else |
| **assai** | quite |
| **il pianterreno** | ground floor |
| **il primo piano** | first floor |
| **il secondo** | second |
| **il terzo** | third |
| **un ascensore** | lift |
| **la scala** | stairs |
| **una bottiglia** | bottle |
| **un pacchetto** | packet |
| **una scatola** | box |
| **un litro** | litre |
| **un mezzo litro** | half litre |
| **un chilo** | kilo |
| **un etto** | 100 grammes |
| **due etti** | 200 grammes |
| **duecentocinquanta grammi** | 250 grammes |
| **una dozzina** | dozen |
| **una mezza dozzina** | half dozen |
| **i soldi** | money |
| **la moneta** | coins |
| **gli spiccioli, il resto** | change |
| **la banconota** | banknote |
| **la sterlina** | pound (sterling) |
| **la lira** | lira |

## HIGHER VOCABULARY

| | |
|---|---|
| **firmare** | to sign |
| **un assegno** | cheque |
| **un assegno turistico** | traveller's cheque |
| **il libretto d'assegni** | cheque book |
| **l'agenzia di cambio** | foreign exchange office, bureau de change |
| **cambiare** | to change |
| **la ricevuta** | receipt |
| **contare** | to count |
| **il seminterrato** | basement |
| **mostrare** | to show |
| **il rollino** | film (for camera) |
| **il deodorante** | deodorant |
| **lo shampoo** | shampoo |
| **il peso** | weight |
| **la bilancia** | scales |
| **leggero/a** | light |
| **pesante** | heavy |
| **tascabile** | pocket, portable |
| **il pacco** | parcel |
| **da parte** | aside |

## BASIC PHRASES

| | |
|---|---|
| **Due etti di prosciutto cotto e un pezzo di formaggio** | Two hundred grammes of ham and a piece of cheese |
| **Il reparto vestiti è al primo piano** | The clothes department is on the first floor |
| **S'accomodi alla cassa** | Please go to the cash desk |

## HIGHER PHRASES

| | |
|---|---|
| **Il pacco è molto pesante** | The parcel is very heavy |
| **Metterò il computer tascabile da parte fino a domani** | I'll put the pocket computer aside until tomorrow |
| **Si deve firmare ogni assegno turistico** | You have to sign every traveller's cheque |
| **È importante tenere la ricevuta** | It's important to keep the receipt |

# 10 Health and welfare

## General

### BASIC VOCABULARY

| | |
|---|---|
| **la testa** | head |
| **l'orecchio** | ear |
| **l'occhio** | eye |
| **il naso** | nose |
| **la schiena** | back |
| **lo stomaco** | stomach |
| **la gola** | throat |
| **i denti** | teeth |
| **il cuore** | heart |
| **la gamba** | leg |
| **il braccio** | arm |
| **le braccia** | arms |
| **il piede** | foot |
| **i piedi** | feet |
| **il dito** | finger |
| **le dita** | fingers |
| **la bocca** | mouth |
| **i capelli** | hair |
| **la mano** | hand |
| **le mani** | hands |
| **avere mal di testa** | to have a headache |
| **avere sete** | to be thirsty |
| **avere fame** | to be hungry |
| **stare meglio** | to be better |
| **essere stanco/a** | to be tired |
| **avere freddo** | to be cold |
| **avere caldo** | to be hot |
| **avere la febbre** | to have a temperature |
| **malato/a** | ill |
| **la salute** | health |
| **pulito/a** | clean |
| **sporco/a** | dirty |
| **il sapone** | soap |
| **l'asciugamano** | towel |
| **lavarsi** | to get washed |
| **fare il bagno** | to have a bath, to swim |
| **fare la doccia** | to have a shower |
| **l'aiuto** | help |
| **il medico, il dottore, la dottoressa** | doctor |
| **l'infermiere/ l'infermiera** | nurse |
| **un ospedale** | hospital |
| **l'ammalato/ l'ammalata** | patient |
| **andare a letto** | to go to bed |
| **dormire** | to sleep |
| **riposarsi** | to rest |

### HIGHER VOCABULARY

| | |
|---|---|
| **la diarrea** | diarrhoea |
| **la tosse** | cough |
| **il raffreddore** | cold |
| **l'influenza** | flu |
| **il mal di mare** | seasickness |
| **grave** | serious |
| **la medicina** | medicine |
| **il rimedio** | remedy |
| **la ricetta** | prescription |
| **lo sciroppo** | syrup |
| **la pomata** | ointment |
| **il tubetto** | tube |
| **la pastiglia** | throat tablet |
| **la compressa** | tablet |
| **la pillola** | pill |
| **il cotone idrofilo, l'ovatta** | cotton wool |
| **l'aspirina** | aspirin |

## (HIGHER VOCABULARY)

| | |
|---|---|
| **la benda, la fascia** | bandage |
| **la fasciatura** | bandaging |
| **il cerotto adesivo** | plaster |
| **l'ambulanza** | ambulance |
| **chiamare** | to call |
| **telefonare** | to telephone |
| **una cabina telefonica** | telephone booth |
| **avvertire** | to warn |
| **un incidente** | accident |
| **sofferente** | suffering |
| **soffrire** | to suffer |
| **bruciarsi la mano** | to burn one's hand |
| **ferito/a** | injured |
| **rompersi la gamba** | to break one's leg |
| **tagliarsi il dito** | to cut one's finger |
| **cadere** | to fall |
| **piangere** | to cry |
| **vomitare** | to vomit |
| **la scottatura solare** | sunburn |
| **il colpo di sole** | sunstroke |
| **la puntura** | sting |
| **un'operazione** | operation |
| **essere ammesso/a** | to be admitted |
| **la clinica** | clinic |
| **l'ambulatorio** | surgery, consulting room |
| **l'appuntamento** | appointment |
| **il pronto soccorso** | first aid, casualty |
| **sentirsi** | to feel |
| **ansioso/a** | anxious |
| **l'assicurazione (f)** | insurance |
| **assicurato/a** | insured |
| **consigliare** | to advise |
| **è necessario** | it's necessary |
| **dovere** | to have to |
| **la dieta** | diet |
| **la cucchiaiata** | spoonful |
| **la medicina, il medicamento** | medicine |
| **stare zitto/a** | to be quiet |
| **l'isolamento** | isolation |
| **vivo/a** | alive |
| **morto/a** | dead |
| **morire** | to die |
| **annegare** | to drown |
| **un attacco, la crisi** | attack |
| **la simpatia** | sympathy |
| **stare meglio** | to be better |
| **stare peggio** | to be worse |
| **preoccuparsi** | to worry |

## BASIC PHRASES

| | |
|---|---|
| **Non mi sento molto bene** | I don't feel very well |
| **Ho mal di testa e mi fanno male gli occhi** | I have a headache and my eyes hurt |
| **Ho la febbre** | I've got a temperature |
| **Come sta?** | How are you? |
| **Sono molto stanco/a** | I'm very tired |

## HIGHER PHRASES

| | |
|---|---|
| **Mi può chiamare un medico subito?** | Can you call me a doctor immediately? |
| **Bisogna prendere tre compresse al giorno** | You need to take three tablets a day |
| **Mi può consigliare qualcosa?** | Can you recommend something? |
| **Mi sono bruciato la mano** | I've burnt my hand |
| **Faccio il bagno e poi vado a letto** | I'll have a bath and then go to bed |

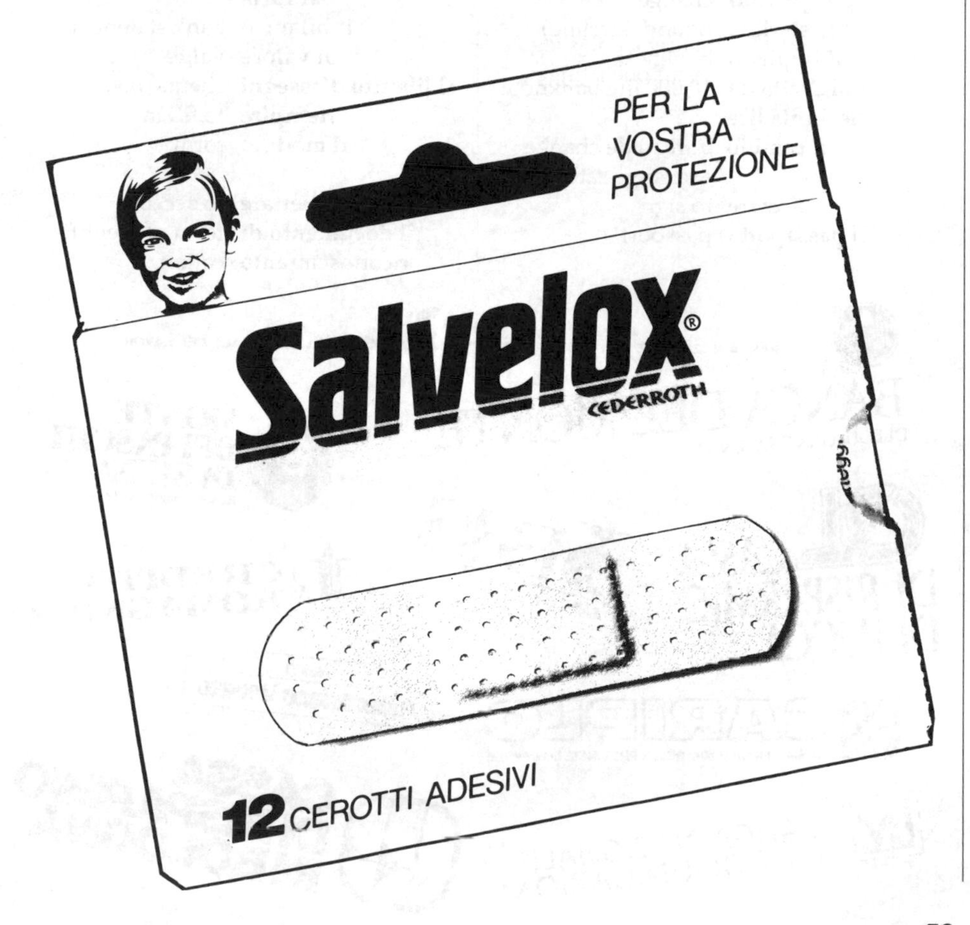

# 11 Services

## Bank

| BASIC VOCABULARY | |
|---|---|
| **la banca** | bank |
| **la cassa** | till, cash desk |
| **l'assegno** | cheque |
| **l'assegno turistico, il travellers cheque** | traveller's cheque |
| **cambiare** | to change |
| **il denaro, i soldi** | money |
| **la moneta** | coin |
| **gli spiccioli** | change |
| **la sterlina** | pound (sterling) |
| **il biglietto** | banknote |
| **il biglietto da diecimila lire** | 10,000 lire banknote |
| **il cambio** | bureau de change; exchange rate |
| **firmare** | to sign |
| **il passaporto** | passport |

| HIGHER VOCABULARY | |
|---|---|
| **l'agenzia di cambio** | bureau de change |
| **risparmiare** | to save |
| **il conto** | account |
| **versare su un conto** | to pay into an account |
| **il pagamento** | payment |
| **la provvigione** | commission |
| **la provvigione bancaria** | bank charges |
| **il bilancio** | bank statement |
| **il valore** | value |
| **il libretto d'assegni** | cheque book |
| **riempire** | to fill in |
| **il modulo** | form |
| **accettare** | to accept |
| **il documento di riconoscimento** | form of identification |

BANCA NAZIONALE DEL LAVORO BNL BANCA NAZIONALE DEL LAVORO

MONTE DEI PASCHI DI SIENA
Banca fondata nel 1472

CREDITO ROMAGNOLO

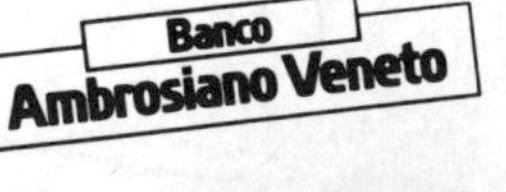

BANCA NAZIONALE
delle COMUNICAZIONI

# Post office

## BASIC VOCABULARY

| | |
|---|---|
| **l'ufficio postale** | post office |
| **la tabaccheria, sali e tabacchi** | tobacconist's |
| **la posta** | post |
| **impostare** | to post a letter |
| **mandare** | to send |
| **la buca delle lettere** | postbox |
| **la lettera** | letter |
| **la busta** | envelope |
| **la cartolina postale** | postcard |
| **il pacco** | parcel |
| **il pacchetto** | packet |
| **fragile** | fragile, breakable |
| **l'indirizzo** | address |
| **il francobollo** | stamp |
| **la tariffa** | price list |
| **all'estero** | abroad |
| **la posta aerea** | air mail |
| **il foglio** | form |

## HIGHER VOCABULARY

| | |
|---|---|
| **il fermo posta** | poste restante |
| **la levata** | collection |
| **il premio** | premium |
| **a giro di posta** | by return of post |
| **la ricevuta** | receipt |
| **rispondere** | to reply |
| **il postino** | postman |
| **la postina** | postwoman |
| **il timbro postale** | postmark |
| **il peso** | weight |
| **il pacco postale** | parcel |
| **raccomandato/a** | registered |
| **ingombrante** | bulky |
| **C.P. (Casella Postale)** | post office box |

## BASIC PHRASES

| | |
|---|---|
| **Mi dà due francobolli da centocinquanta lire per la Gran Bretagna, per favore** | Two 150 lire stamps for Great Britain, please |
| **Vorrei mandare due cartoline in Scozia** | I would like to send two postcards to Scotland |

## HIGHER PHRASES

| | |
|---|---|
| **Quanto pesa il pacco postale?** | How heavy is the parcel? |
| **Potreste rispondere a giro di posta?** | Could you reply by return of post? |
| **Qual è l'indirizzo per la questura?** | What is the address for the police station? |

# Lost property

## BASIC VOCABULARY

| | |
|---|---|
| **l'ufficio oggetti smarriti** | lost property office |
| **perdere** | to lose |
| **trovare** | to find |
| **lasciare** | to leave behind |
| **rubare** | to steal |
| **il ladro** | thief |
| **descrivere** | to describe |
| **la descrizione** | description |
| **grande** | big |
| **piccolo/a** | small |
| **stretto/a** | narrow |
| **largo/a** | wide |
| **nuovo/a** | new |
| **vecchio/a** | old |
| **la borsa** | handbag |
| **il portafoglio** | wallet |
| **l'ombrello** | umbrella |
| **l'orologio** | watch |
| **la macchina fotografica** | camera |
| **dentro** | inside |
| **la chiave** | key |
| **i soldi** | money |
| **la fotografia** | photograph |

## HIGHER VOCABULARY

| | |
|---|---|
| **ricordarsi** | to remember |
| **dimenticare** | to forget |
| **sfortunato/a** | unlucky |
| **la forma** | shape |
| **rettangolare** | rectangular |
| **rotondo/a** | round |
| **solido/a** | solid |
| **scuro/a** | dark |
| **chiaro/a** | light |
| **di metallo** | metal |
| **di pelle** | leather |
| **simile a** | similar to |
| **un tipo di** | a kind of |
| **nuovo/a di zecca** | brand new |
| **pieno/a** | full |
| **vuoto/a** | empty |

## BASIC PHRASES

| | |
|---|---|
| **Ho perso una borsa** | I've lost a bag |
| **Com'è?** | What's it like? |
| **È piccola e (fatta) di pelle** | It's small and made of leather |

## HIGHER PHRASES

| | |
|---|---|
| **Ho dimenticato dove ho lasciato la mia valigia** | I've forgotten where I've left my suitcase |
| **È piena di cose di valore** | It's full of valuable things |
| **Potrebbe aiutarmi?** | Could you help me? |

# Police

## BASIC VOCABULARY

| | |
|---|---|
| **il carabiniere, il vigile, il poliziotto** | police officer |
| **la polizia** | police force |
| **la caserma dei carabinieri, il commissariato, la questura** | police station |
| **il ladro** | thief |
| **rubare** | to steal |
| **rompere** | to break |
| **provare** | to try |
| **descrivere** | to describe |
| **domandare** | to ask |
| **rispondere** | to reply |
| **il traffico** | traffic |
| **la multa** | fine |

## HIGHER VOCABULARY

| | |
|---|---|
| **il delitto** | crime |
| **la rapina** | hold-up, robbery |
| **uccidere** | to kill |
| **l'assassino** | the killer |
| **la targa** | number plate |
| **avvertire** | to warn |
| **la collisione** | collision |
| **la priorità** | priority |
| **protestare** | to protest |
| **il/la testimone** | witness |

# Telephone

## BASIC VOCABULARY

| | |
|---|---|
| **il telefono** | telephone |
| **telefonare** | to telephone |
| **chiamare** | to call |
| **il numero** | number |
| **pronto** | hello |
| **chi parla?** | who's speaking? |

## HIGHER VOCABULARY

| | |
|---|---|
| **la cabina telefonica** | telephone box |
| **un elenco telefonico** | telephone directory |
| **sollevare l'apparecchio** | to lift the receiver |
| **fare il numero** | to dial the number |
| **fare uno sbaglio** | to make a mistake |
| **il gettone** | token (for telephone) |
| **la moneta** | change |
| **il segnale** | dialling tone |
| **guasto/a** | broken |
| **non funziona** | it's out of order |
| **essere occupato** | to be engaged |
| **essere libero** | to be free |
| **essere chiamato/a al telefono** | to be called to the phone |
| **suonare** | to ring |
| **richiamare** | to call again |
| **parlare** | to speak |
| **ascoltare** | to listen |
| **sentire** | to hear |
| **male** | badly |
| **bene** | well |
| **un attimo** | moment |

## BASIC PHRASES

**Pronto! Sono Giorgio** Hello! It's Giorgio speaking
**C'è Donatella?** Is Donatella there?
**Telefonerò domani** I'll call again tomorrow

## HIGHER PHRASES

**La linea è occupata** The line is busy
**Scusi, ho sbagliato numero** Sorry, I've got the wrong number
**Non suona da ieri il telefono** The phone hasn't rung since yesterday
**Forse è guasto** Maybe it's out of order
**Bisogna avere la moneta giusta per telefonare da una cabina telefonica** You need the right change to telephone from a phone box

# 12 Geography

## Buildings

### BASIC VOCABULARY

| | |
|---|---|
| **l'edificio** | building |
| **la piazza** | square |
| **il monumento** | monument |
| **il museo** | museum |
| **il castello** | castle |
| **la cattedrale** | cathedral |
| **la chiesa** | church |
| **l'aeroporto** | airport |
| **la stazione** | station |
| **un ospedale** | hospital |
| **il commissariato** | police station |
| **la banca** | bank |
| **il municipio** | town hall |
| **l'ufficio postale** | post office |
| **l'agenzia di viaggio** | travel agency |
| **l'albergo** | hotel |
| **il campeggio** | campsite |
| **il cinema** | cinema |
| **il teatro** | theatre |
| **la discoteca** | disco |
| **la piscina** | swimming pool |
| **la biblioteca** | library |
| **lo stadio** | stadium |
| **il palazzo (dello sport)** | sports hall |
| **il mercato** | market |
| **il negozio** | shop |
| **il caffè** | café |
| **il ristorante** | restaurant |
| **il centro commerciale** | shopping centre |
| **il bar** | bar |
| **il ponte** | bridge |

### HIGHER VOCABULARY

| | |
|---|---|
| **la fabbrica** | factory |
| **la fattoria** | farm |
| **lo zoo** | zoo |
| **il duomo** | cathedral |
| **la torre** | tower |
| **la stazione di rifornimento** | service station |
| **il garage** | garage |

MUSEO TEATRALE ALLA SCALA

*Biglietto d'ingresso* - **L. 2000**

Il visitatore è tenuto a conservare il biglietto fino all'uscita.
Il biglietto è valido una sola volta e per il giorno in cui è stato emesso.

Esente da IVA per l'Art. 10 - Comma 16

№ 2502

# Nature and location

## BASIC VOCABULARY

| | |
|---|---|
| **il bosco** | wood |
| **l'albero** | tree |
| **il fiore** | flower |
| **il campo** | field |
| **il parco** | park |
| **la fontana** | fountain |
| **l'erba** | grass |
| | |
| **il fiume** | river |
| **il mare** | sea |
| **la riva** | bank, shore |
| **la spiaggia** | beach |
| **la costa** | coast |
| **il porto** | port |
| | |
| **il paese** | country, village |
| **la zona, la regione** | area |
| **la provincia** | province |
| **il villaggio** | village |
| **la città** | town, city |
| | |
| **industriale** | industrial |
| **la campagna** | countryside |
| **la valle** | valley |
| **il lago** | lake |
| **la montagna** | mountain |
| **la collina** | hill |
| | |
| **la terra** | land |
| **la veduta, la vista, il panorama** | view |
| | |
| **il quartiere** | district |
| **la periferia** | outskirts |
| **trovarsi** | to be situated |
| **il nord** | north |
| **il sud** | south |
| **l'est (m)** | east |
| **l'ovest (m)** | west |
| | |
| **il metro** | metre |
| **il chilometro** | kilometre |
| **vicino/a a** | near |
| **lontano/a da** | far from |
| **dietro a** | behind |
| **davanti a** | in front of |
| **di fronte a** | opposite |
| **in fondo a** | at the end of |
| **accanto a** | next to |
| **sotto** | below |
| **sopra** | above |
| **su** | on |
| **tranquillo/a** | calm |
| **rumoroso/a** | noisy |
| | |
| **l'abitante (m/f)** | inhabitant |
| **mille** | a thousand |
| **duemila** | two thousand |
| **un milione** | million |

## HIGHER VOCABULARY

| | |
|---|---|
| **l'orto** | vegetable garden |
| **l'agricoltura** | agriculture |
| **coltivare** | to grow |
| **il prato** | meadow |
| **il terreno** | land |
| | |
| **pittoresco/a** | picturesque |
| **piacevole** | pleasant |
| **sereno/a** | quiet |
| **stupendo/a** | wonderful |
| **incantevole** | enchanting |
| | |
| **la roccia** | rock |
| **roccioso/a** | rocky |
| **ripido/a** | steep |
| **la salita, il pendio** | slope |
| **il sasso** | stone |
| **collinoso/a** | hilly |
| **la sommità, la cima** | summit |

## (HIGHER VOCABULARY)

| | |
|---|---|
| **rurale** | rural |
| **monotono/a** | monotonous |
| **noioso/a** | boring |
| **il chiasso** | noise |
| **chiassoso/a** | noisy |
| **il fragore** | roar, rumble |
| **il suono** | ring |
| **godersi** | to enjoy |
| **divertirsi** | to enjoy oneself |
| **la scampagnata** | outing to the country |
| **l'epoca** | time |
| **il secolo** | century |
| **costruito/a** | built |
| **medioevale** | medieval |
| **lo stile** | style |
| **storico/a** | historical |
| **interamente** | completely |
| **il mar Mediterraneo** | Mediterranean Sea |
| **mediterraneo/a** | mediterranean *(adj.)* |
| **l'Atlantico** | Atlantic Ocean |
| **la Manica** | English Channel |
| **le Alpi** | Alps |
| **gli Appennini** | Apennines |
| **le Dolomiti** | Dolomites |
| **Londra** | London |
| **Parigi** | Paris |
| **Roma** | Rome |
| **Venezia** | Venice |
| **Firenze** | Florence |

## BASIC PHRASES

| | |
|---|---|
| **Abito nel nord d'Inghilterra** | I live in the north of England |
| **È una città industriale** | It's an industrial town |
| **C'è un parco vicino alla casa** | There's a park near the house |
| **La nostra casa si trova in campagna a due chilometri dalla città** | Our house is in the country two kilometres from the city |

## HIGHER PHRASES

| | |
|---|---|
| **È una città storica dall'epoca medioevale** | It's a historic medieval town |
| **Vivere in campagna è molto piacevole e tranquillo** | Living in the country is very pleasant and quiet |
| **Che cosa ne pensa di Roma?** | What do you think of Rome? |
| **È mai stato/a a Napoli?** | Have you ever been to Naples? |
| **Che cosa c'è da fare nella zona?** | What is there to do in the area? |

# 13 Weather

## General

### BASIC VOCABULARY

| | |
|---|---|
| **il tempo** | weather |
| **il clima** | weather, climate |
| **la temperatura** | temperature |
| **il grado** | degree |
| **il bollettino meteorologico** | weather forecast |
| **far bel tempo** | to be good weather |
| **far brutto tempo** | to be bad weather |
| **far caldo** | to be hot weather |
| **far freddo** | to be cold weather |
| **il calore** | heat |
| **la nebbia** | fog |
| **la pioggia** | rain |
| **gelare** | to freeze |
| **il ghiaccio** | ice |
| **la neve** | snow |
| **tirare vento** | to be windy |
| **il cielo** | sky |
| **la nuvola** | cloud |
| **nuvoloso/a** | cloudy |
| **la luna** | moon |
| **la stella** | star |
| **il sole** | sun |
| **splendere** | to shine |
| **l'ombra** | shadow, shade |
| **splendido/a** | splendid, bright |
| **sereno/a** | calm |
| **magnifico/a** | magnificent |
| **il giorno** | day |
| **la mattina** | morning |
| **il pomeriggio** | afternoon |
| **la sera** | evening |

### HIGHER VOCABULARY

| | |
|---|---|
| **le previsioni del tempo** | weather forecast |
| **prevedere** | to forecast |
| **peggiorare** | to get worse |
| **migliorare** | to get better |
| **mantenersi** | to stay, to remain |
| **il cambiamento** | change |
| **il buio** | dark |
| **la luce, il lume** | light |
| **la visibilità** | visibility |
| **scuro/a** | dark |
| **chiaro/a** | light |
| **fuori** | outside |
| **il temporale, la tempesta** | storm |
| **il fulmine** | lightning |
| **tuonare** | to thunder |
| **piovere a catinelle** | to rain cats and dogs |
| **cadere** | to fall |
| **la grandine** | hail |
| **scivolare** | to slide, to slip |
| **scintillare** | to shine |
| **l'atmosfera** | atmosphere |
| **fresco/a** | cool |
| **mite** | mild |
| **secco/a** | dry |
| **umido/a** | humid, damp |
| **variabile** | changeable |
| **soleggiato/a** | sunny |
| **piovoso/a** | rainy |

## (HIGHER VOCABULARY)

| | |
|---|---|
| **l'alba** | dawn |
| **il tramonto** | sunset |
| **la brezza** | breeze |
| **avere caldo** | to be hot |
| **avere freddo** | to be cold |
| **sudare** | to sweat |
| **il sudore** | sweat |
| **di rado** | rarely |
| **generalmente** | generally |
| **fra poco** | shortly |
| **presto** | soon |

## BASIC PHRASES

| | |
|---|---|
| **Che tempo fa oggi?** | What's the weather like today? |
| **Tira vento e fa freddo** | It's windy and cold |
| **Piove molto in Scozia d'inverno** | It rains a lot in Scotland in the winter |
| **Fa una bella giornata qui** | It's a lovely day here |

## HIGHER PHRASES

| | |
|---|---|
| **Generalmente fa fresco e umido dopo un temporale** | Generally it's cool and humid after a storm |
| **Sarà una giornata di tempo variabile con pioggia e periodi di sole** | It will be a changeable day with rain and sunny periods |
| **Domani il tempo migliorerà** | Tomorrow the weather will improve |
| **La visibilità non era buona ieri a causa della nebbia** | Visibility was poor yesterday because of the fog |

# 14 Times, days, months, seasons

## Days of the week

### BASIC VOCABULARY

| | |
|---|---|
| **lunedì** | Monday |
| **martedì** | Tuesday |
| **mercoledì** | Wednesday |
| **giovedì** | Thursday |
| **venerdì** | Friday |
| **sabato** | Saturday |
| **domenica** | Sunday |
| **la domenica** | on Sundays |
| **il martedì** | on Tuesdays |
| **sabato prossimo** | next Saturday |
| **venerdì scorso** | last Friday |

## Seasons

### BASIC VOCABULARY

| | |
|---|---|
| **la primavera** | spring |
| **l'estate (f)** | summer |
| **l'autunno** | autumn |
| **l'inverno** | winter |
| **di/in primavera** | in spring |
| **d'estate/in estate** | in the summer |
| **in autunno** | in the autumn |
| **d'inverno/in inverno** | in the winter |

## Days

### BASIC VOCABULARY

| | |
|---|---|
| **il giorno** | day |
| **la mattina** | morning |
| **il pomeriggio** | afternoon |
| **la sera** | evening |
| **la notte** | night |
| **di mattina** | in the morning |
| **di pomeriggio** | in the afternoon |
| **di sera/la sera** | in the evening |
| **di sera/di notte** | at night |
| **oggi** | today |
| **domani** | tomorrow |
| **ieri** | yesterday |
| **stamattina** | this morning |
| **questo pomeriggio** | this afternoon |
| **stasera** | this evening |
| **stanotte** | tonight |
| **l'indomani (m)** | the day after tomorrow |
| **il giorno dopo** | the next day |
| **due giorni fa** | two days ago |

Aperto anche la domenica pomeriggio

# Months

## BASIC VOCABULARY

**gennaio** January
**febbraio** February
**marzo** March
**aprile** April
**maggio** May
**giugno** June
**luglio** July
**agosto** August
**settembre** September
**ottobre** October
**novembre** November
**dicembre** December

# Dates

## BASIC VOCABULARY

**la data** date
**qual è la data di oggi?** what's today's date?
**che data è oggi?**
**è il 29 aprile** it's April 29th

# Time

## BASIC VOCABULARY

**l'ora** the time
**un'ora** hour
**il minuto** minute
**il secondo** second
**e un quarto** quarter past
**meno un quarto** quarter to
**mezzogiorno** midday
**mezzanotte** midnight
**della mattina** in the morning
**di sera/di notte** at night

**quindici minuti** fifteen minutes
**una mezz'ora** half an hour
**verso** about

sorrisi e canzoni
TV
BINGO
★ ★ Milano, mercoledí 28 ottobre 1992

l'Unità
Anno 69°, n. 203
Spedizione in abbonamento postale gr. 1/70
L. 1200/arretrati L. 2400
Venerdì
28 agosto 1992 • •
Giornale fondato da Antonio Gramsci

LA STAMPA
ECONOMIA E FINANZA
Venerdì 11 Settembre 1992 23

il Giornale
Sped. in abb. post. - gr. 1/70
Quotidiano del mattino

IL MATTINO - Anno C - Sabato 2 novembre

# Periods of time

## BASIC VOCABULARY

**il giorno** day
**la settimana** week
**quindici giorni, due settimane** two weeks, fortnight
**il mese** month
**l'anno** year
**prossimo/a** next
**scorso/a** last

## HIGHER VOCABULARY

**l'altro ieri** the day before yesterday
**la vigilia** the evening before
**il giorno prima** the day before
**all'inizio di** at the beginning of
**alla metà (del mese)** in the middle (of the month)
**alla fine di** at the end of a
**un secolo** century
**va avanti** it's fast (watch)
**va indietro** it's slow (watch)

## BASIC PHRASES

**Che ore sono?** What time is it?
**Sono le due e mezzo** It's half past two
**È l'una** It's one o'clock

## HIGHER PHRASES

**All'inizio dell'estate** At the beginning of the summer
**Il mio orologio va avanti/va indietro** My watch is fast/slow

**ORARIO**

SCUOLA.................................................................CLASSE.................................

| Dalle ore | Alle ore | Lunedì | Martedì | Mercoledì | Giovedì | Venerdì | Sabato |
|---|---|---|---|---|---|---|---|
| 8,15 | 9,15 | Italiano | Disegno | Storia | Ginnastica | Filosofia | Francese |
| 9,15 | 10,15 | Italiano | Disegno | Informatica | Francese | | Matematica |
| 10,15 | 11,15 | Religione | Filosofia | Chimica | Tecnic | | |
| 11,30 | 12,30 | Fisica | Matematica | Italiano | Geog | | |
| 12,30 | 1,30 | chimica | Informatica | Inglese | Inf | | |